POULET
et volaille

COLLECTION Bon Appétit

E

*Avez-vous remarqué que presque tout le monde aime la volaille?
Curieusement, on ne s'en lasse jamais, à condition bien sûr de pouvoir la déguster de
mille et une manières. Les recettes de ce livre ont été choisies précisément dans
l'intention de vous faire explorer de nouvelles façons d'apprêter le poulet, la dinde,
le canard et les cailles. Certaines vous proposent donc d'utiliser des ingrédients ou des
techniques que vous connaissez peut-être moins bien. Si c'est le cas, reportez-vous aux
chapitres « Les techniques » et « Les ingrédients »; vous y trouverez des réponses
claires et simples à vos questions. Cela dit, nous espérons que ces recettes originales
vous plairont autant qu'à nous.*

Bon Appétit !

PHOTOS
Couverture: Poulet farci au riz.
Couverture intérieure avant: Tacos au poulet.
Couverture intérieure arrière: Ailes de poulet
à la chinoise.
Couverture arrière: Hamburger au poulet.

COLLECTION BON APPÉTIT
Édition en langue française
Copyright 1994 PGC Éditions inc.
SUPERVISION RÉDACTIONNELLE
Claudette Taillefer,
Marie-Josée Taillefer
TRADUCTION ET ADAPTATION
Sylvie Dupont
RÉDACTRICE CULINAIRE
Lise Côté

**COORDINATION
DE LA PRODUCTION**
Hélène Valois
**CONCEPTION
PAGE COUVERTURE**
Louis-Martin Roy
INFOGRAPHIE ET PELLICULAGE
Couleur Vic, LaSalle
IMPRESSION
Toppan Printing Co., Singapore

DISTRIBUTION
Messageries de presse Benjamin
9600, Jean Milot, LaSalle, Québec
ÉDITEUR-CONSEIL
J.W.L. Media Communications inc.
Jacques W. Lina, Président
ÉDITEUR
PGC Éditions inc.
Président: Guy Cloutier
Vice-président exécutif: Jean Pilote

COLLECTION BON APPÉTIT est publiée par PGC Éditions inc. dans le cadre d'une entente avec J.B. Fairfax Press Pty. Ltd de Sydney, Australie.
PGC Éditions inc. est une filiale du groupe PGC Communications inc., dont le siège social est situé au 4446, boul. Saint-Laurent, MONTRÉAL,
Québec, Canada, H2W 1Z5. Téléphone: (514) 849-3999. Télécopieur: (514) 849-8298.
Dépôt légal 1994: Bibliothèque Nationale du Québec et Bibliothèque Nationale du Canada.
Tous droits de reproduction, d'adaptation ou de traduction réservés J.B. Fairfax Press Pty. Ltd (c)   ISBN 98 03880-0-9

LES SOUPES

Rien de plus réconfortant qu'une bonne soupe au poulet maison.
Pas très original? Qu'à cela ne tienne, voici quelques recettes toutes
simples qui vous feront sortir des sentiers battus.

Soupe au poulet et au cari

Soupe au poulet et au cari

4 c. à table (60 ml) de beurre
2 oignons, hachés
2 gousses d'ail, écrasées
2 gros panais (ou 2 carottes), hachés
2 branches de céleri, émincé
3 c. à table (45 ml) de farine
1 c. à thé (5 ml) de cari
6 tasses (1,5 l) de bouillon de poulet
185 g (6 oz) de pois verts, frais ou
congelés
500 g (1 lb) de poulet cuit, en dés
250 g (8 oz) de crème sure
3 c. à table (45 ml) de persil, haché fin
2 c. à table (30 ml) d'aneth frais, haché

1　Faire fondre le beurre dans une grande casserole. Faire revenir les oignons, l'ail, le panais et le céleri à feu doux 5 à 6 minutes ou jusqu'à ce que les oignons soient tendres. Incorporer la farine et le cari, et cuire une minute.

2　Retirer du feu et ajouter peu à peu le bouillon. Cuire à feu modéré en remuant constamment, de 8 à 10 minutes ou jusqu'à ce que la soupe bouille et épaississe. Baisser le feu, ajouter les pois et le poulet, et cuire 10 minutes.

3　Retirer la casserole du feu, incorporer la crème sure, le persil et l'aneth. Cuire à feu doux 3 à 4 minutes en remuant régulièrement. Servir immédiatement.

6 portions

Une soupe nourrissante qui, servie avec du pain frais, constituera à elle seule un excellent repas.

Crème de poulet

1 c. à table (15 ml) de beurre
1 gousse d'ail, hachée fin
8 tasses (2 l) de bouillon de poulet
1 kg (2 lb) de poulet cuit, en dés
2 c. à thé (10 ml) de sauce
Worcestershire
2 tasses (500 ml) de crème 35 %
poivre noir frais moulu
4 c. à table (60 ml) de persil frais,
haché fin
4 c. à table (60 ml) de ciboulette
fraîche, hachée fin

1　Faire fondre le beurre dans une grande casserole. Faire revenir l'ail à feu doux 2 à 3 minutes. Ajouter le bouillon, amener à ébullition, puis baisser le feu. Ajouter le poulet et la sauce Worcestershire et laisser mijoter 2 à 3 minutes.

2　Incorporer la crème et poivrer au goût. Ajouter le persil et la ciboulette et cuire à feu modéré 4 à 5 minutes.

8 portions

Utiliser du poulet cuit pour faire une soupe est très pratique. Mais souvenez-vous de ne pas le laisser bouillir trop longtemps, sinon il se défera en petits filaments peu appétissants.

SOUPE AU POULET ET AUX NOUILLES

Une soupe au poulet et aux nouilles maison sera toujours meilleure que les soupes en sachet qu'on trouve dans le commerce.

4 tasses (1 l) de bouillon de poulet
1 carotte, en julienne
1 poireau, haché fin
125 g (4 oz) de poulet cuit, en dés
90 g (3 oz) de nouilles aux œufs, brisées
poivre noir frais moulu
4 brins de coriandre fraîche

1 Amener le bouillon à ébullition dans une grande casserole. Ajouter la carotte et le poireau, couvrir, baisser le feu et laisser mijoter 5 minutes ou jusqu'à ce que la carotte soit tendre.

2 Ajouter le poulet et les nouilles. Laisser mijoter de 5 à 10 minutes ou jusqu'à ce que les nouilles soient cuites. Poivrer au goût. Servir garnie de coriandre.

4 portions

Soupe au poulet et aux nouilles

SOUPE AU POULET ET À L'AVOCAT

1 c. à table (15 ml) de beurre
1 oignon, haché fin
1 grosse pomme de terre, en dés
3 tasses (750 ml) de bouillon de poulet
1 boîte (284 ml) de maïs en grains,
égoutté
375 g (12 oz) de poulet cuit, en dés
poivre noir frais moulu
3 c. à table (45 ml) de crème
1 avocat, pelé, dénoyauté, en dés

1   Faire fondre le beurre dans une grande casserole, et cuire les oignons à feu doux jusqu'à ce qu'ils soient tendres. Ajouter les dés de pommes de terre et le bouillon, couvrir et laisser mijoter de 5 à 10 minutes ou jusqu'à ce que la pomme de terre soit tendre.

2   Ajouter le maïs et le poulet, poivrer au goût et laisser mijoter 5 à 6 minutes. Verser dans des bols. Ajouter quelques dés d'avocat et incorporer la crème ou le lait. Servir immédiatement.

4 portions

Le poulet et l'avocat font généralement bon ménage, en particulier dans cette soupe substantielle.

LES HORS-D'ŒUVRE

Les hors-d'œuvre au poulet ont toujours beaucoup de succès. Ceux que nous vous proposons dans ce chapitre ajouteront une touche d'exotisme à vos buffets et à vos cocktails. Vous pouvez aussi les offrir comme amuse-gueule à l'apéro ou comme entrée lors d'un repas plus élaboré.

*Bouchées au poulet
et à la mangue*

BOUCHÉES AU POULET ET À LA MANGUE

1 c. à thé (5 ml) de cardamome moulue
2 c. à thé (10 ml) de cumin moulu
1/2 c. à thé (2,5 ml) de poudre de chili
1 c. à thé (5 ml) de gingembre moulu
5 suprêmes de poulet, en gros dés
2 c. à table (30 ml) d'huile

SAUCE À LA MANGUE
315 g (10 oz) de chutney à la mangue
1/4 tasse (65 ml) de crème 35 %
1 c. à table (15 ml) de cari

En hors-d'œuvre, 20 portions

1   Mélanger dans un bol la cardamome, le cumin, le gingembre et le chili. Ajouter les dés de poulet et agiter pour bien les enrober d'épices. Couvrir et laisser reposer 1 heure.

2   Faire chauffer l'huile dans une poêle. Faire revenir le poulet à feu moyen 5 minutes ou jusqu'à ce qu'il soit cuit. Retirer du feu et laisser égoutter sur des essuie-tout.

3   Pour la sauce, passer le chutney, la crème et le cari au robot ou au mélangeur et servir comme trempette avec les bouchées de poulet.

Si vous servez ces bouchées en entrée, vous pouvez disposer le poulet sur un lit de laitue avec des tranches de mangue fraîche ou en conserve. La sauce à la mangue pourra être servie dans de petits bols.

ROULEAUX AU POULET À L'ORIENTALE

2 gros champignons chinois
déshydratés
eau bouillante
4 oignons verts (échalotes), hachés
60 g (2 oz) de pois congelés ou frais
poivre noir frais moulu
2 suprêmes de poulet, en 12 lamelles
12 galettes de riz, coupées en deux
huile à friture

SAUCE AUX PRUNES
1/2 tasse (125 ml) de sauce aux
prunes
2 c. à table (30 ml) d'eau
2 c. à table (30 ml) de concombre,
haché fin

24 rouleaux

1   Mettre les champignons dans un bol, couvrir d'eau bouillante et laisser gonfler de 20 à 25 minutes. Égoutter, enlever les pieds et hacher.

2   Mélanger dans un bol les champignons, les oignons verts et les pois. Poivrer au goût.

3   Déposer une lamelle de poulet et 2 c. à thé (10 ml) de préparation aux champignons sur un coin de chaque feuille de riz, replier les bords et rouler. Sceller avec un peu d'eau. Chauffer l'huile dans une grande casserole et faire dorer 3 ou 4 rouleaux à la fois 2 à 3 minutes. Retirer de la friture et laisser égoutter sur des essuie-tout.

4   Pour la trempette, mélanger la sauce aux prunes, l'eau et les concombres dans un bol. Servir avec les rouleaux chauds.

Vous trouverez les galettes de riz et les champignons chinois déshydratés dans la plupart des épiceries asiatiques. Ces champignons sont assez dispendieux mais ils se conservent indéfiniment et, comme ils sont très parfumés, on les utilise en petites quantités.

COLLECTION
BON APPÉTIT

BOUCHÉES DE CANARD ET SAUCE AUX CERISES

2 c. à table (30 ml) de farine salée
et poivrée
1 c. à thé (5 ml) de poudre de cinq
épices
750 g (1 1/2 lb) de suprêmes de
canard, en gros dés
huile à friture

SAUCE AUX CERISES
1 c. à table (15 ml) de sucre
375 g (12 oz) de cerises noires en
boîte, égouttées
1/3 tasse (90 ml) de vin rouge
1/4 c. à thé (1,5 ml) d'épices
mélangées

En hors-d'œuvre, 10 portions

Vous pourrez vous procurer
la poudre de cinq épices
dans les épiceries chinoises
ou vietnamiennes.

1   Mélanger la farine et la poudre de
cinq épices dans un sac de plastique.
Ajouter le canard et secouer jusqu'à ce
qu'il soit bien enrobé.

2   Chauffer l'huile dans une grande
casserole et dorer le canard par petites
quantités 3 à 4 minutes. Laisser
égoutter sur des essuie-tout.

3   Pour la sauce, amener à ébullition
le sucre, les cerises, le vin rouge et
les épices dans une casserole. Baisser
le feu et laisser mijoter 15 minutes à
découvert. Passer la sauce au tamis et
chauffer de nouveau à feu doux dans
une casserole propre. Servir tiède
comme trempette avec les bouchées
de canard chaudes.

BOUCHÉES DE POULET AU CHILI ET SAUCE AU CARI

6 suprêmes de poulet, en gros dés
1/3 tasse (90 ml) d'huile végétale
2 c. à thé (10 ml) de paprika
1/2 c. à thé (2,5 ml) de poudre de chili
huile à friture

SAUCE AU CARI
1 c. à table (15 ml) d'huile
1 oignon, haché fin
2 c. à thé (10 ml) de cari doux
1 c. à table (15 ml) de farine
1 1/4 tasse (315 ml) de lait
2 c. à table (30 ml) de chutney
à la mangue
poivre noir frais moulu

En hors-d'œuvre, 10 portions

Ces bouchées de poulet au
chili feront fureur comme
collation ou à l'heure de
l'apéro.

1   Mélanger dans un bol le poulet,
l'huile végétale, le paprika et la poudre
de chili. Couvrir et laisser mariner 1
heure.

2   Chauffer l'huile dans une grande
casserole et faire dorer le poulet par
petites quantités de 3 à 4 minutes.
Laisser égoutter sur des essuie-tout.

3   Pour la sauce, chauffer l'huile dans
une casserole et faire revenir les
oignons jusqu'à ce qu'ils soient tendres.
Ajouter le cari et cuire encore 2
minutes. Ajouter la farine et cuire en
remuant 1 minute. Ajouter peu à peu le
lait, et amener à ébullition à feu
modéré en brassant constamment.
Laisser cuire 3 à 4 minutes ou jusqu'à
ce que la sauce épaississe, puis baisser le
feu et laisser mijoter 5 minutes. Ajouter
le chutney et poivrer au goût. Servir
tiède comme trempette avec les
bouchées de poulet chaudes.

ROULEAUX AU BACON ET AUX CHAMPIGNONS

4 c. à table (60 ml) de beurre
1 oignon, haché fin
185 g (6 oz) de bacon, haché
500 g (1 lb) de foies de poulet, parés et hachés
250 g (8 oz) de champignons, hachés
1/2 tasse (125 ml) de bouillon de poulet
2 jaunes d'œuf, légèrement battus
1/2 c. à thé (2,5 ml) de fines herbes séchées
poivre noir frais moulu
4 feuilles de pâte filo
1 blanc d'œuf
huile à friture

1 Chauffer le beurre dans une grande poêle et faire revenir l'oignon 2 à 3 minutes pour l'attendrir. Ajouter le bacon et cuire 3 à 4 minutes. Ajouter les foies de poulet et cuire en remuant 3 minutes ou jusqu'à ce que les foies changent de couleur. Ajouter les champignons et cuire encore 3 minutes.

2 Ajouter le bouillon, baisser le feu et laisser mijoter 5 minutes ou jusqu'à ce qu'il soit presque évaporé. Retirer du feu et laisser refroidir 10 minutes.

3 Incorporer les jaunes d'œuf et les herbes, puis poivrer au goût. Passer au robot pour hacher grossièrement les foies. Attention de ne pas les réduire en purée.

4 Couper les feuilles de pâte filo en 24 carrés de 15 cm. Déposer 2 c. à thé de préparation sur chaque rectangle de pâte filo, replier un coin et rouler. Sceller avec un peu de blanc d'œuf.

5 Chauffer l'huile dans une grande casserole et dorer 2 à 3 minutes, ou plus au besoin, 3 ou 4 rouleaux à la fois. Retirer de la friture et laisser égoutter sur des essuie-tout.

24 rouleaux

*Bouchées de canard et sauce aux cerises
Rouleaux au bacon et aux champignons
Bouchées de poulet au chili et sauce au cari*

Ces rouleaux au bacon et aux champignons peuvent être préparés à l'avance. Réchauffez-les au dernier moment avec de la sauce chili ou de la sauce soya en guise de trempette.

BOUCHÉES DE POULET SATAY

4 suprêmes de poulet, en dés

MARINADE SATAY
**1/2 tasse (125 ml) d'eau
2 c. à table (30 ml) de beurre
d'arachide
1 c. à table (15 ml) de miel
1 c. à table (15 ml) de sauce soya
2 c. à table (30 ml) de jus de citron
1 c. à thé (5 ml) de pâte de chili
(sambal oelek)
1 c. à thé (5 ml) de gingembre
frais, râpé
1 oignon, haché fin**

Ces bouchées de poulet satay sont si populaires qu'elles disparaîtront aussitôt servies. Vous trouverez la pâte de chili (sambal oelek) dans les épiceries asiatiques.

Bouchées de poulet satay

Environ 20 bouchées

1 Pour la marinade, mélanger tous les ingrédients dans un bol. Ajouter le poulet, couvrir et laisser mariner au moins 2 heures ou toute la nuit au réfrigérateur. Retirer le poulet de la marinade et réserver. Piquer 2 morceaux de poulet sur des brochettes de bambou ou des gros cure-dents et passer au gril 5 minutes, ou un peu plus au besoin.

2 Dans une casserole, amener la marinade à ébullition. Baisser le feu et laisser mijoter 10 minutes ou jusqu'à ce que la marinade ait réduit et légèrement épaissi. Servir chaude comme trempette avec les bouchées de poulet.

10

Bouchées de poulet à l'indienne

BOUCHÉES DE POULET À L'INDIENNE

8 suprêmes de poulet, en gros dés
1 tasse (250 ml) de yaourt nature
1 gousse d'ail, écrasée
1 c. à thé (5 ml) de gingembre frais, râpé
1/2 c. à thé (2,5 ml) de garam masala
1/4 c. à thé (1,25 ml) de curcuma
1/4 c. à thé (1,25 ml) de cumin moulu
1 c. à table (15 ml) de coriandre fraîche, hachée
poivre noir frais moulu

TREMPETTE AU CONCOMBRE ET À LA CORIANDRE
1/2 concombre, dégorgé, éponge et râpé
1 c. à table (15 ml) de coriandre fraîche, hachée
1/2 tasse (125 ml) de yaourt nature
1/4 tasse (65 ml) de crème 35 %
poivre noir frais moulu

1 Mélanger dans un bol le poulet, le yaourt, l'ail, le gingembre, le garam masala, le curcuma, le cumin, la coriandre et le poivre. Couvrir et laisser mariner au réfrigérateur au moins 4 heures ou toute la nuit.

2 Retirer le poulet de la marinade et l'étendre sur une tôle à biscuit légèrement graissée. Passer sous le gril 5 minutes ou jusqu'à ce que le poulet soit cuit. Piquer un ou deux morceaux de poulet sur de petites brochettes de bambou ou des gros cure-dents.

3 Pour la trempette, mélanger tous les ingrédients dans un bol et poivrer au goût. Servir avec le poulet chaud.

8 portions

Pour servir comme plat de résistance, faites mariner les suprêmes entiers, passez-les au gril et servez avec du riz et une salade. Vous trouverez le garam masala dans les épiceries orientales.

LES PLATS DE RÉSISTANCE

Grillée, rôtie, frite, cuite au four, en casserole, en cocotte ou en terrine, aux herbes ou aux épices, aux fruits ou aux légumes, au miel ou aux amandes, au coco ou au marsala, la volaille se sert à toutes les sauces et ne finit jamais de surprendre et d'inspirer. Les recettes de ce chapitre en sont la preuve.

PILONS DE POULET AU FETA

2 c. à table (30 ml) de beurre
1 gousse d'ail, écrasée
1 botte d'épinards, émincés
2 tranches de jambon, émincé
125 g (4 oz) de fromage feta, en petits morceaux
1 c. à thé (5 ml) de coriandre moulue
3 c. à thé (15 ml) de muscade moulue
poivre noir frais moulu
12 pilons de poulet
2 c. à table (30 ml) d'huile d'olive

1 Chauffer le beurre dans une poêle et cuire l'ail 1 minute à feu modéré. Ajouter la moitié des épinards et cuire 3 à 4 minutes. Retirer les épinards et réserver. Cuire le reste des épinards.

2 Mélanger dans un bol les épinards, le jambon, le fromage feta, la coriandre et 1 c. à thé (5 ml) de muscade. Poivrer au goût. Décoller et soulever délicatement la peau du pilon pour former une poche et y introduire 1 bonne cuillerée d'épinards. Farcir ainsi tous les pilons, badigeonner d'huile, saupoudrer de muscade et déposer dans un plat de cuisson. Mettre au four 30 minutes, ou plus au besoin.

Température du four :
180 °C, 350 °F

Ces pilons sont aussi délicieux froids. Vous les trouverez idéals pour la boîte à lunch ou le panier à pique-nique.

6 portions

CARI DE POULET AU COCO

1 c. à table (15 ml) d'huile
4 suprêmes de poulet, coupés en deux
2 oignons, coupés en huit
2 gousses d'ail, écrasées
2 c. à table (30 ml) de pâte de cari
1 1/2 tasse (375 ml) d'eau
3 pommes de terre, en dés
3 carottes, en rondelles
1 c. à thé (5 ml) de zeste de citron, haché fin
1 c. à table (15 ml) de fécule de maïs
1/2 tasse (125 ml) de lait de coco

1 Chauffer l'huile dans une grande casserole, dorer les suprêmes 3 à 4 minutes, retirer et réserver. Faire revenir les oignons et l'ail à feu modéré 4 à 5 minutes pour les attendrir, ajouter la pâte de cari et cuire encore 1 minute.

2 Remettre le poulet dans la poêle. Ajouter l'eau, les pommes de terre, les carottes et le zeste de citron. Amener à ébullition, baisser le feu, couvrir et laisser mijoter 30 minutes ou jusqu'à cuisson parfaite.

3 Incorporer la fécule de maïs au lait de coco, verser sur le poulet et cuire à feu modéré en remuant 5 minutes ou jusqu'à ce que le cari bouille et épaississe. Cuire encore 3 minutes et servir.

Vous pourrez vous procurer la pâte de cari dans les épiceries orientales. Quant au lait de coco, si vous n'en trouvez pas dans le commerce, vous pouvez en fabriquer à partir de noix de coco râpée et déshydratée. Versez 3 tasses (750 ml) d'eau bouillante sur 2 tasses (500 g) de coco râpé. Laissez macérer 30 minutes, puis égouttez en pressant le coco pour en extraire le plus de liquide possible. Vous obtiendrez ainsi un lait de coco très riche. Vous pouvez recommencer l'opération avec le même coco, ce qui vous donnera un lait plus clair.

Pilons de poulet au feta   *4 portions*

POULET FARCI AU RIZ

1 poulet de 1,5 kg (3 lb)
4 tranches de bacon, haché
4 oignons verts (échalotes), hachés
2 c. à thé (10 ml) de cari
3/4 tasse (190 ml) de riz à grains
longs, cuit
1 tasse (250 ml) de chapelure
1 c. à table (15 ml) d'huile d'olive

SAUCE AUX CHAMPIGNONS
2 c. à table (30 ml) de beurre
1 oignon, haché
1 poivron vert, haché
125 g (4 oz) de champignons,
tranchés
1 boîte (398 ml) de tomates écrasées
2 c. à table (30 ml) de purée
de tomate
3 c. à table (45 ml) de vin rouge
1 c. à table (15 ml) de sucre
1/2 tasse (125 ml) d'eau
poivre noir frais moulu

4 portions

Température du four :
180 °C, 350 °F

Pour vérifier la cuisson d'une volaille, piquez le haut de la cuisse. Le jus qui en sort doit être clair. S'il est rosé, remettez au four 15 minutes et recommencez le test. Quand vous retirez une volaille entière du four, laissez-la reposer de 10 à 20 minutes avant de la découper. Ainsi la chair gardera son jus et en sera d'autant plus tendre.

1 Éponger le poulet. Dans une poêle, cuire le bacon, les oignons verts (échalotes) et le cari à feu modéré 4 à 5 minutes, ou jusqu'à ce que le bacon soit croustillant. Retirer du feu et ajouter le riz et la chapelure.

2 Farcir le poulet avec la préparation de riz et fermer la cavité. Replier les ailes et ficeler les pattes. Enduire d'huile et mettre au four 1 1/2 heure en arrosant fréquemment.

3 Pour la sauce, faire fondre le beurre dans une casserole et faire revenir l'oignon, le poivron vert et les champignons 2 ou 3 minutes. Ajouter les tomates, la purée de tomate, le vin, le sucre et l'eau. Poivrer au goût. Cuire à feu modéré en remuant constamment de 10 à 15 minutes. Servir avec le poulet.

POULET AU MAÏS

Température du four :
180 °C, 350 °F

1 c. à table (15 ml) d'huile d'olive
2 oignons, hachés
2 c. à thé (10 ml) de cumin moulu
4 cuisses de poulet
4 pilons de poulet
1 tasse (250 ml) de vin blanc sec
1 tasse (250 ml) de bouillon de poulet
1 tasse (250 ml) de crème 35 %
1 boîte (284 ml) de maïs en grains,
égoutté

Nous vous suggérons de servir ce savoureux poulet au cumin et au maïs sur un lit de riz, accompagné d'un légume vert — haricots, asperges ou épinards par exemple.

1 Chauffer l'huile dans une grande poêle et faire cuire les oignons saupoudrés de cumin à feu modéré 4 à 5 minutes ou jusqu'à tendreté. Ajouter les cuisses et les pilons et dorer de 8 à 10 minutes. Transférer le tout dans une cocotte.

2 Retirer le gras de la poêle et verser le vin. Amener à ébullition en raclant le fond. Laisser bouillir 4 à 5 minutes ou jusqu'à ce que le vin ait réduit de moitié.

3 Ajouter le bouillon, la crème et le maïs, et cuire encore 5 minutes. Verser sur le poulet, couvrir et mettre au four de 45 à 60 minutes ou jusqu'à cuisson parfaite.

4 portions

ROULEAUX DE POULET AUX AMANDES

4 suprêmes de poulet
huile à friture
2 œufs
1/3 tasse (90 ml) de lait
1/2 tasse (125 ml) de farine salée et poivrée
2 tasses (500 ml) de chapelure

BEURRE AUX HERBES

3/4 tasse (190 ml) de beurre, ramolli
60 g (2 oz) d'amandes, hachées
2 c. à thé (10 ml) de moutarde de Dijon
1 c. à table (15 ml) de persil frais, haché
1 c. à table (15 ml) de ciboulette fraîche, hachée
poivre noir frais moulu

Ne chauffez pas trop l'huile pour cette recette, sinon les rouleaux seront dorés avant que le poulet soit cuit.

1   Pour le beurre aux herbes, mélanger dans un bol le beurre, les amandes, la moutarde, le persil et la ciboulette. Poivrer au goût. Façonner le beurre en quatre rouleaux de 10 cm de long, les envelopper de pellicule plastique et réfrigérer jusqu'à ce qu'ils soient fermes.

2   Placer les suprêmes entre deux pellicules plastiques, et les aplatir au rouleau à pâte en prenant garde de ne pas les déchirer.

3   Placer un rouleau de beurre au centre de chaque suprême. Replier les extrémités vers le centre et rouler de manière à enfermer complètement le beurre. Fixer avec des cure-dents.

4   Pour la panure, battre les œufs et le lait dans un petit bol puis transférer dans une assiette creuse. Mettre la farine et la chapelure dans deux autres assiettes. Enrober de farine les rouleaux de poulet. Puis, à deux reprises, tremper dans la préparation d'œuf et rouler dans la chapelure. Déposer dans une assiette, recouvrir de pellicule plastique et réfrigérer 1 heure.

5   Chauffer l'huile dans une grande poêle et dorer les rouleaux de 5 à 8 minutes.

4 portions

Rouleaux de poulet aux amandes

CASSEROLE DE POULET ET DE FÈVES

1 tranche de bacon, haché
1,5 kg (3 lb) de morceaux de poulet, sans la peau
2 oignons, hachés
1 gousse d'ail, écrasée
1/2 tasse (125 ml) de bouillon de poulet
1/3 tasse (90 ml) de vin blanc
1 c. à thé (5 ml) de fines herbes séchées
1 c. à thé (5 ml) de sucre
1 boîte (398 ml) de tomates écrasées
1 boîte (284 ml) de fèves de Lima, égouttées

1 Cuire le bacon dans une poêle à feu modéré 2 à 3 minutes ou jusqu'à ce qu'il soit croustillant. Retirer le bacon de la poêle et laisser égoutter sur des essuie-tout.

2 Dorer le poulet de 5 à 8 minutes. Retirer du feu et déposer dans une casserole.

3 Avec l'ail, faire revenir les oignons 2 à 3 minutes pour les attendrir. Déposer les oignons et le bacon sur les morceaux de poulet.

4 Verser le bouillon, le vin, les herbes, le sucre et les tomates dans la poêle et amener à ébullition à feu modéré. Laisser cuire jusqu'à ce que la préparation réduise et épaississe. Ajouter les fèves et verser sur le poulet. Couvrir et mettre au four de 45 à 60 minutes ou jusqu'à ce que le poulet soit cuit.

Température du four : 200 °C, 400 °F

Lorsque vous faites cuire de la volaille, souvenez-vous que le suprême cuit plus vite que les cuisses et les pilons. Vous avez donc avantage à commencer la cuisson de la viande brune une dizaine de minutes avant celle des suprêmes.

Casserole de poulet et de fèves   **6 portions**

CANARD GLACÉ AU MIEL

Température du four :
180 °C, 350 °F

En règle générale, un
canard de 2,5 kg donnera
4 portions. Perforez la peau
du canard et déposez-le
sur une grille au fond du
plat de cuisson. Ainsi, le
gras pourra s'égoutter.

Canard glacé au miel

1 canard de 2,5 kg (5 lb)
2 oignons, coupés en deux
5 brins de persil frais

GLACE AU MIEL
3 c. à table (45 ml) de miel
1 c. à table (15 ml) de moutarde
douce
1/4 tasse (65 ml) de sherry sec

1   Pour la glace, cuire dans une petite
casserole le miel et la moutarde, à feu
modéré en remuant jusqu'à ce que le
miel fonde. Ajouter le sherry et amener
à ébullition. Baisser le feu et laisser
mijoter 2 minutes. Retirer du feu et
réserver.

2   Farcir le canard avec les oignons et
le persil et fermer la cavité. Replier les
ailes et ficeler les pattes. Déposer le
canard sur une grille dans un plat de
cuisson. Badigeonner le canard de miel
et mettre au four 1 heure ou jusqu'à ce
qu'il soit cuit. Retourner plusieurs fois
pendant la cuisson.

4 portions

Poulet de Cornouailles aux olives

POULETS DE CORNOUAILLES AUX OLIVES

2 poulets de 500 g (1 lb) chacun
2 c. à table (30 ml) d'huile d'olive
1 c. à thé (5 ml) de grains de poivre
noir écrasés
2 c. à thé de fines herbes

FARCE AUX OLIVES NOIRES
4 c. à table (60 ml) de beurre
4 oignons verts (échalotes), hachés fin
6 tranches de bacon, hachées fin
90 g (3 oz) d'olives noires, hachées
1 tasse (125 ml) de chapelure
1 c. à table (15 ml) de thym frais,
haché ou 1 c. à thé (5 ml) de
thym séché

1   Pour la farce, faire fondre le beurre dans une poêle et y faire revenir les oignons verts et le bacon 2 minutes à feu modéré. Retirer du feu et incorporer les olives, la chapelure et le thym.

2   Farcir chaque poulet et bien refermer. Replier les ailes, ficeler les pattes et déposer dans un plat de cuisson.

3   Badigeonner d'huile, parsemer d'herbes, poivrer au goût et mettre au four de 45 à 60 minutes ou jusqu'à cuisson parfaite.

2 portions

Température du four :
180 °C, 350 °F

Vous trouverez des poulets de Cornouailles dans la plupart des supermarchés, généralement au rayon des produits congelés.

CANARD AUX BLEUETS

2 c. à table (30 ml) d'huile végétale
4 suprêmes de canard avec la peau
3 c. à table (45 ml) de vinaigre
balsamique ou de vinaigre de vin
rouge
1/4 c. à thé (1,25 ml) de cannelle
moulue
4 c. à table (60 ml) de bleuets (ou
d'un autre petit fruit)
poivre noir frais moulu

FLEURS DE COURGETTE
3/4 tasse (190 ml) de farine
1 tasse (250 ml) d'eau
huile à friture
12 fleurs de courgette

En Italie, les fleurs de zucchini (courgettes) sont très appréciées. On les déguste panées, farcies, frites ou dans le risotto. Si vous ne pouvez pas vous en procurer, consolez-vous en savourant votre canard avec un légume vert — asperges, haricots ou courgettes par exemple.

1 Chauffer l'huile dans une grande poêle et faire dorer le canard à feu modéré, 4 à 5 minutes de chaque côté.

2 Ajouter le vinaigre, la cannelle et les bleuets, et poivrer au goût. Couvrir et cuire 15 minutes à feu doux ou jusqu'à ce que le canard soit tendre.

3 Pour les fleurs de courgette, tamiser peu à peu la farine dans l'eau et délayer à la fourchette jusqu'à consistance lisse. Au besoin, ajouter de l'eau. Verser une couche de 2,5 cm d'huile dans une poêle et chauffer jusqu'à ce que l'huile soit brûlante. Tremper les fleurs dans le mélange et dorer quelques-unes à la fois.

4 Disposer le canard et les fleurs de courgette dans un plat de service et napper le canard de sauce aux bleuets.

4 portions

POULET AU MARSALA

4 suprêmes de poulet, aplatis
3 c. à table (45 ml) de farine salée
et poivrée
2 c. à table (30 ml) de beurre
2 c. à table d'huile d'olive
3/4 tasse (190 ml) de vin marsala sec
ou de sherry sec
1/3 tasse (90 ml) de bouillon
de poulet
2 c. à table (30 ml) de beurre, ramolli
poivre noir frais moulu

Pour aplatir les suprêmes de poulet, placez-les entre deux pellicules plastiques et servez-vous d'un rouleau à pâte en veillant à ne pas déchirer la chair. La pellicule plastique évitera que la viande ne colle au rouleau à pâte.

1 Enrober le poulet de farine et secouer pour enlever le surplus. Chauffer le beurre et l'huile dans une grande poêle jusqu'à ce que le beurre mousse. Faire revenir le poulet 3 minutes de chaque côté.

2 Ajouter le marsala ou le sherry, amener à ébullition, baisser le feu et laisser mijoter 15 minutes ou jusqu'à ce que le poulet soit cuit. Retirer le poulet et réserver au chaud. Ajouter le bouillon, amener à ébullition et laisser bouillir 2 minutes. Ajouter le beurre ramolli en fouettant et poivrer au goût. Napper le poulet de sauce au marsala et servir.

4 portions

Cailles et riz aux olives, canard aux bleuets,
poulet au marsala

CAILLES ET RIZ AUX OLIVES

1 c. à table (15 ml) d'huile d'olive
2 c. à table (30 ml) de beurre
2 oignons, hachés
2 gousses d'ail, écrasées
8 cailles
5 feuilles de sauge fraîche
1 c. à table (15 ml) de romarin frais,
haché
ou 1 c. à thé (5 ml) de romarin séché
poivre noir frais moulu
1 1/4 tasse (315 ml) de sherry sec

RIZ AUX OLIVES
375 g (12 oz) de riz cuit
4 c. à table (60 ml) de beurre
6 tranches de mortadelle, hachées
90 g (3 oz) d'olives noires, hachées
3 c. à table (45 ml) de parmesan râpé
3 c. à table (45 ml) de basilic frais,
haché

1   Chauffer l'huile et le beurre dans une poêle. Cuire 3 minutes à feu doux l'ail et les oignons, pour les attendrir.

2   Ajouter les cailles et dorer de tous les côtés à feu vif. Ajouter la sauge et le romarin. Poivrer au goût.

3   Ajouter le sherry, amener à ébullition, puis baisser le feu et laisser mijoter 20 minutes ou jusqu'à cuisson parfaite.

4   Mettre dans une casserole le riz, le beurre, la mortadelle et les olives, et chauffer à feu doux 4 à 5 minutes. Incorporer le parmesan et le basilic. Servir 2 cailles par assiette sur un lit de riz, arrosées de jus de cuisson.

4 portions

Comment mange-t-on les cailles? Avec les doigts! Il serait d'ailleurs très difficile de faire autrement sans laisser dans l'assiette une bonne partie de cette chair délicieuse.

POULET FRIT À L'ORIENTALE

2 c. à table (30 ml) d'huile végétale
2 oignons, coupés en huit
1 gousse d'ail, écrasée
1 c. à thé (5 ml) de gingembre frais,
râpé
8 suprêmes de poulet, en lamelles
1/4 c. à thé (1,25 ml) de cumin moulu
1/4 c. à thé (1,25 ml) de coriandre
moulue
3 c. à table (45 ml) de sauce aux
huîtres
1 c. à thé (5 ml) d'huile de sésame
125 g (4 oz) de brocoli, en fleurons
125 g (4 oz) de pois mange-tout, parés
1 c. à table (15 ml) de graines de
sésame

1   Chauffer l'huile dans une poêle ou dans un wok, et frire les oignons, l'ail et le gingembre 2 à 3 minutes ou jusqu'à ce que l'oignon soit tendre. Retirer de la poêle et réserver.

2   Faire frire le poulet 3 à 4 minutes ou jusqu'à ce qu'il change de couleur. Mélanger dans un petit bol le cumin, la coriandre, la sauce aux huîtres et l'huile de sésame. Verser dans la poêle, avec les oignons cuits, le brocoli et les pois mange-tout. Frire les légumes jusqu'à ce qu'ils soient tendres. Garnir de graines de sésame et servir.

4 portions

Voici un mets oriental d'exécution facile et rapide qui, avec un bol de riz ou de nouilles, vous fera un repas complet et délicieux.

POULET AU CHUTNEY ET AUX HERBES

1 poulet de 1,5 kg (3 lb)
4 c. à table (60 ml) de beurre, fondu
2 gousses d'ail, écrasées

FARCE AU CHUTNEY AUX HERBES

2 c. à table (60 ml) d'herbes fraîches,
hachées (persil, ciboulette, romarin,
thym et origan)
125 g (4 oz) de parmesan, râpé
2 c. à table (30 ml) de chutney
aux fruits
1 œuf, battu légèrement
1 tasse (125 ml) de chapelure
1/3 tasse (90 ml) de beurre, fondu

1   Pour la farce, mélanger dans un bol
les herbes, le parmesan, le chutney,
l'œuf, la chapelure et le beurre. Farcir le
poulet et refermer la cavité.

2   Replier les ailes, ficeler les pattes et
déposer dans un plat de cuisson.
Mélanger le beurre et l'ail, badigeonner
le poulet et mettre au four de 1 heure à
1 1/2 heure ou jusqu'à cuisson parfaite.

4 portions

Température du four :
180 °C, 350 °F

Quand vous faites de la
farce, vous pouvez
doubler la recette et la
servir comme
accompagnement, ou
encore ajouter des tomates
et des poivrons au poulet
une trentaine de minutes
avant la fin de la cuisson.

Poulet au chutney et aux herbes

PÂTÉ DE POULET AU POIVRON

Température du four :
180 °C, 350 °F

Ce pâté au poulet ne ressemble à nul autre. La croûte à la polenta a une merveilleuse texture et cette garniture vous étonnera agréablement. Servez avec une salade de laitue, de tomates et d'olives arrosée d'une vinaigrette légère.

PÂTE À LA SEMOULE DE MAÏS
1 1/2 tasse (375 ml) de farine
1/3 tasse (90 ml) de polenta (semoule de maïs)
155 g (5 oz) de beurre, en morceaux
1 œuf, battu légèrement
1/2 tasse (125 ml) d'eau

GARNITURE AU POULET ET AU POIVRON
1 c. à table (15 ml) d'huile d'olive
500 g (1 lb) d'épinards, décongelés
2 gousses d'ail, écrasées
2 c. à table (30 ml) de pignons
5 tranches de prosciutto ou de jambon, émincé
3 suprêmes de poulet, pochés, en dés
1/2 poivron rouge, en lamelles
3 œufs, battus légèrement
1 tasse (250 ml) de crème 35 %
poivre noir frais moulu

1 Pour la pâte, passer au robot la farine, la polenta et le beurre jusqu'à l'obtention d'une fine chapelure. Pendant que l'appareil fonctionne, ajouter l'œuf puis l'eau, une cuillerée à la fois, jusqu'à ce que la pâte forme une boule. Rouler cette boule sur une surface enfarinée et la pétrir légèrement. Envelopper dans une pellicule plastique et réfrigérer 30 minutes.

2 Pour la garniture, chauffer l'huile dans une grande poêle et faire revenir les épinards, l'ail, les pignons et le prosciutto (ou le jambon) à feu modéré 4 à 5 minutes. Verser dans un bol et laisser refroidir complètement. Incorporer le poulet, le poivron, les œufs et la crème.

3 Abaisser les 2/3 de la pâte sur une surface légèrement enfarinée et déposer l'abaisse dans une assiette à tarte profonde de 23 cm de diamètre. Enlever le surplus de pâte sur le pourtour avec un couteau bien aiguisé. Ajouter la garniture. Abaisser le reste de la pâte, mouiller les bords de la croûte de fond et couvrir avec la deuxième abaisse. Presser les bords, tailler et modeler un beau rebord avec les doigts. Découper 2 fentes sur la croûte de dessus pour laisser échapper la vapeur. Mettre au four 45 minutes ou jusqu'à ce que la croûte soit bien dorée.

8 portions

Pâté de poulet au poivron

ROULEAUX DE POULET EN COCOTTE

6 suprêmes de poulet
3 tranches de bacon
1 c. à table (15 ml) de persil frais,
haché
4 c. à table (60 ml) de beurre
2 oignons, hachés
2 carottes, râpées
8 feuilles d'épinards
poivre noir frais moulu
3 pommes de terre, cuites
1/2 tasse (125 ml) d'eau

1 Placer les suprêmes entre deux pellicules plastiques et aplatir au rouleau à pâte. Couper les tranches de bacon en deux. Déposer un morceau de bacon et un peu de persil sur chaque suprême. Replier les extrémités vers le centre, rouler et fixer avec des cure-dents.

2 Faire fondre la moitié du beurre dans une grande poêle et dorer les rouleaux de poulet de 8 à 10 minutes. Retirer de la poêle et réserver.

3 Faire fondre le reste du beurre dans la poêle et faire sauter les oignons et les carottes 5 minutes ou jusqu'à ce que les oignons soient tendres. Ajouter les épinards et cuire 2 à 3 minutes. Poivrer au goût.

4 Couper les pommes de terre en tranches épaisses et disposer au fond de la cocotte. Ajouter les légumes et déposer les rouleaux de poulet. Verser l'eau, couvrir et mettre au four de 35 à 40 minutes ou jusqu'à ce que les rouleaux soient cuits.

6 portions

Température du four :
180 °C, 350 °F

Ces rouleaux de poulet farcis au bacon et au persil et cuits en cocotte avec des légumes constituent un repas complet. Servez avec des petits pains croûtés ou du pain à l'ail.

Rouleaux de poulet en cocotte

Cailles rôties glacées au miel

CAILLES RÔTIES GLACÉES AU MIEL

Température du four :
180 °C, 350 °F

Originaire du Moyen-Orient
et cousine de la perdrix, la
caille est un régal de
gourmet. Comme c'est le
plus petit des gibiers, on en
sert généralement deux par
convive.

4 cailles

GLACE AU MIEL ET AU SOYA
1 c. à table (15 ml) d'huile de sésame
1/4 tasse (65 ml) de sauce soya
1/4 tasse (65 ml) de miel
2 c. à table (30 ml) de jus de citron
1 c. à table (15 ml) de graines de
sésame

1   Pour la glace, cuire tous les
ingrédients dans une petite casserole 10
minutes à feu modéré.

2   Replier les ailes des cailles, ficeler
les pattes, déposer dans un plat de
cuisson et badigeonner de glace au
miel. Mettre au four 25 minutes en
arrosant régulièrement jusqu'à cuisson
parfaite.

2 portions

POULET BIRYANI

6 c. à table (90 ml) de beurre
3 oignons, tranchés
1,5 kg (3 lb) de poulet, en morceaux
2 c. à thé (10 ml) de gingembre frais, râpé
3 gousses d'ail, écrasées
1/2 c. à thé (2,5 ml) de cumin moulu
1/2 c. à thé (2,5 ml) de cannelle moulue
1/4 c. à thé (1,25 ml) de clou de girofle moulu
1/4 c. à thé (1,25 ml) de cardamome moulue
1/4 c. à thé (1,25 ml) de muscade moulue
1/2 c. à thé (2,5 ml) de farine
1 tasse (250 ml) de bouillon de poulet
1/2 tasse (125 ml) de yaourt nature
1/2 tasse (125 ml) de crème 35 %
1/4 tasse (65 ml) de noix d'acajou, hachées

RIZ PILAF
4 c. à table (60 ml) de beurre
1/2 c. à thé (2,5 ml) de safran moulu
1/2 c. à thé (2,5 ml) de cardamome moulue
1 c. à thé (5 ml) de sel
1 tasse (250 ml) de riz basmati, lavé
4 tasses (1 l) de bouillon de poulet
2 c. à table (30 ml) de raisins Sultana

1 Chauffer le beurre dans une grande poêle et faire dorer les oignons à feu modéré 5 minutes. Retirer de la poêle et réserver. Dorer les morceaux de poulet 3 à 4 minutes. Retirer de la poêle et réserver.

2 Mettre toutes les épices, l'ail et la farine dans la poêle et cuire 1 à 2 minutes. Ajouter le bouillon, le yaourt et la crème, et remuer en grattant le fond de la poêle. Ajouter le poulet et la moitié des oignons, couvrir et laisser mijoter de 15 à 20 minutes ou jusqu'à ce que le poulet soit cuit. Retirer du feu et réserver, à couvert, 15 minutes.

3 Pour le pilaf, faire fondre le beurre dans une grande casserole. Faire revenir le safran, la cardamome, le sel et le riz 1 à 2 minutes en remuant constamment. Ajouter le bouillon et amener à ébullition. Ajouter les raisins, baisser le feu et laisser mijoter de 10 à 15 minutes ou jusqu'à ce que le riz ait absorbé le gros du bouillon et soit bien cuit. Couvrir et réserver 10 minutes.

4 Déposer le riz dans un grand plat de service qui va au four, ajouter le poulet et napper de sauce. Parsemer du reste des oignons et de noix d'acajou, couvrir et mettre au four 20 minutes.

4 portions

Température du four :
180 °C, 350 °F

Les Grands Mongols (empereurs des Indes entre 1526 et 1857) servaient dans leurs grands festins des plats de biryani si immenses qu'il fallait deux personnes pour les transporter.

Poulet biryani

FRICASSÉE DE POULET AUX GRANDS-PÈRES

Température du four :
200 °C, 400 °F

Ces grands-pères aux fines herbes remplacent de manière originale les pommes de terre. Servez ce plat avec un légume vert — haricots, épinards ou chou par exemple.

4 c. à table (60 ml) de beurre
1 gros oignon, haché
4 suprêmes de poulet, en dés
2 pommes de terre, en dés
2 grosses carottes, en dés
1/4 tasse (65 ml) de farine
1 tasse (250 ml) de vin blanc sec
3 tasses (750 ml) de bouillon de poulet
1 tasse (250 ml) de crème 35 %
2 c. à table (30 ml) de purée de tomate

GRANDS-PÈRES AUX FINES HERBES

2 tasses (500 ml) de farine préparée, tamisée
1 c. à thé (5 ml) de fines herbes séchées
2 c. à table (30 ml) de parmesan, râpé
2 c. à table (30 ml) de beurre, en morceaux
1 tasse (250 ml) de lait

1 Chauffer le beurre dans une grande poêle et faire revenir l'oignon à feu modéré, 3 à 4 minutes ou jusqu'à tendreté. Ajouter le poulet et faire revenir 3 minutes.

2 Ajouter les pommes de terre et les carottes et faire revenir de 8 à 10 minutes. Incorporer la farine, puis le vin, le bouillon, la crème et la purée de tomate. Baisser le feu et laisser mijoter 10 minutes. Transférer la préparation dans une cocotte.

3 Pour les grands-pères, passer au robot la farine, les herbes, le parmesan et le beurre. En laissant l'appareil en marche, ajouter le lait et mélanger jusqu'à l'obtention d'une pâte collante. Rouler la pâte sur une surface légèrement enfarinée et la pétrir jusqu'à ce qu'elle soit lisse. Abaisser la pâte à 2 cm d'épaisseur et couper à l'emporte-pièce des rondelles de 5 cm de diamètre. Déposer sur la fricassée.

4 Mettre au four de 20 à 25 minutes ou jusqu'à ce que les grands-pères soient dorés et bien cuits et la fricassée, chaude.

4 portions

Fricassée de poulet aux grands-pères

*Poulets de Cornouailles
aux fines herbes*

Poulets de Cornouailles aux fines herbes

**4 poulets de Cornouailles
4 branches de thym frais
4 tranches de bacon**

MARINADE AUX HERBES
**1 c. à table (15 ml) de fines herbes
séchées
6 c. à table (90 ml) de beurre, fondu
3 c. à table (45 ml) d'huile végétale**

4 portions

1   Pour la marinade, mélanger dans un petit bol les herbes, le beurre fondu et l'huile.

2   Déposer une branche de thym à l'intérieur de chaque poulet. Replier les ailes et ficeler les pattes. Enrouler les tranches de bacon autour des poulets et fixer avec des cure-dents. Déposer dans un plat de cuisson, badigeonner de marinade et mettre au four de 30 à 35 minutes en arrosant régulièrement avec la marinade.

Température du four :
180 °C, 350 °F

Servez ces délicieux poulets avec une salade arrosée de vinaigrette aux herbes et des petits pains chauds.

CANARD AUX GROSEILLES

2 c. à table (30 ml) d'huile d'olive
8 suprêmes de canard avec la peau
1/4 tasse (65 ml) de jus de limette ou
de citron, frais pressé
2 c. à table (30 ml) de miel
1/2 tasse (125 ml) de gelée de
groseilles
1/2 tasse (125 ml) de groseilles,
fraîches ou congelées

Voici un plat de résistance aussi élégant que délectable, que vous pouvez servir avec des asperges, des poireaux en julienne et des pommes de terre nouvelles.

1 Chauffer l'huile dans une grande poêle et dorer les suprêmes de canard 7 à 8 minutes ou jusqu'à cuisson parfaite. Retirer de la poêle et garder au chaud.

2 Enlever le surplus de gras de la poêle et ajouter le jus de limette ou de citron, le miel et la gelée de groseilles. Amener à ébullition à feu modéré en raclant le fond de la poêle. Baisser le feu et laisser réduire 3 à 4 minutes. Ajouter les groseilles et cuire en remuant encore une minute. Servir cette sauce avec le canard.

4 portions

RAGOÛT DE POULET AUX POIS CHICHES

1/4 tasse (65 ml) d'huile d'olive
1 oignon, haché fin
1 c. à thé (5 ml) de curcuma moulu
1 poulet de 1,5 kg (3 lb), en six
morceaux
220 g (7 oz) de pois chiches, trempés
dans l'eau 12 heures et égouttés
2 tasses (500 ml) de bouillon de
poulet
1/4 tasse (65 ml) de jus de citron,
frais pressé
3 gousses d'ail, écrasées
2 c. à table (30 ml) d'amandes grillées
1 c. à table (15 ml) de persil frais,
haché

Les pois chiches mettent de 45 à 60 minutes à cuire, selon leur origine et leur fraîcheur. Si vous utilisez des pois chiches en conserve, chauffez l'huile dans une grande poêle et faites revenir l'oignon, le curcuma, le poulet et l'ail 4 à 5 minutes. Transférez dans une casserole et ajoutez 2 c. à table (30 ml) de jus de citron, 1 tasse (250 ml) de bouillon (notez que dans cette version, les quantités de citron et de bouillon sont moindres) et une boîte (220 ml) de pois chiches. Laissez mijoter de 15 à 20 minutes. Au moment de servir, parsemez d'amandes et de persil.

1 Chauffer l'huile dans une grande poêle et faire revenir l'oignon avec le curcuma à feu modéré 3 minutes ou jusqu'à tendreté. Ajouter les morceaux de poulet et dorer environ 4 minutes de chaque côté. Retirer de la poêle et réserver.

2 Ajouter les pois chiches, le bouillon, le jus de citron et l'ail, amener à ébullition, baisser le feu et laisser mijoter 40 minutes. Remettre le poulet dans la poêle et laisser mijoter encore 20 minutes ou jusqu'à ce que le poulet et les pois chiches soient tendres. Au moment de servir, parsemer de persil et d'amandes.

4 portions

Canard aux groseilles
Ragoût de poulet aux pois chiches

LES SALADES

Qui dit grande chaleur dit salade de poulet.
Peut-être est-ce pour cela qu'on les néglige un peu le reste de
l'année. Voici quelques recettes de salade à déguster en
toutes saisons et à toute occasion, fraîches ou tièdes,
en guise d'entrée ou de repas léger.

Salade de poulet
aux poires

Salade de poulet
aux tomates

Salade tiède
à l'orientale

Salade de poulet
à l'orange

Salade de foies
tièdes

Salade de canard
à la crème sure

Salade de poulet aux poires

SALADE DE POULET AUX POIRES

2 poires mûres, coupées en deux et
évidées
1 poulet fumé de 1,5 kg (3 lb),
désossé, sans la peau, en lamelles

VINAIGRETTE AU CRESSON
2 c. à table (30 ml) de beurre
1 petite botte de cresson
4 oignons verts (échalotes), hachés
1 gousse d'ail, écrasée
2 c. à thé (10 ml) de vinaigre
d'estragon
1 c. à table (15 ml) de vin blanc sec
1 tasse (250 ml) de crème 35 %

En entrée ou comme repas léger,
4 portions

1   Pour la vinaigrette, faire fondre le
beurre dans une casserole, à feu modéré.
Ajouter le cresson, les oignons verts,
l'ail, le vinaigre d'estragon et le vin
blanc, et laisser mijoter 5 minutes.
Ajouter la crème et laisser mijoter à
découvert 10 minutes ou jusqu'à ce que
la vinaigrette réduise et épaississe.
Retirer du feu et laisser refroidir 10
minutes. Passer au mélangeur ou au
robot jusqu'à consistance lisse.

2   Trancher les moitiés de poire à
partir de la base, mais sans aller
jusqu'en haut. Disposer en éventail
dans l'assiette, napper le poulet de
sauce et servir.

Le poulet fumé est un
produit encore nouveau
sur le marché. Vous en
trouverez dans certaines
épiceries spécialisées.
Sinon, remplacez par de
la dinde fumée.

SALADE DE POULET AUX TOMATES

4 tranches de bacon, en lamelles
1 poulet cuit de 1,5 kg (3 lb), sans la
peau, désossé, en cubes
250 g (8 oz) de tomates-cerises, en
morceaux
2 oignons verts (échalotes), hachés fin
poivre noir frais moulu
6 feuilles de basilic frais
croûtons

MAYONNAISE AU BASILIC
1 gousse d'ail, écrasée
1/4 tasse (65 ml) de basilic frais
1 tasse (250 ml) de mayonnaise

1   Cuire le bacon dans une poêle 4 à 5
minutes ou jusqu'à ce qu'il soit
croustillant. Laisser égoutter sur des
essuie-tout.

2   Pour la mayonnaise, réduire en
purée au mélangeur l'ail, les feuilles de
basilic et 1 c. à table de mayonnaise.
Ajouter le reste de la mayonnaise et
mélanger.

3   Mélanger dans un grand bol le
poulet, les tomates, les oignons verts, la
moitié du bacon et la mayonnaise au
basilic. Poivrer au goût. Servir la salade
dans 6 assiettes, parsemer de croûtons
et de bacon et garnir de basilic.

Les croûtons donnent
beaucoup d'attrait à une
salade. Vous en trouverez
dans toutes les épiceries
mais vous pouvez aussi les
faire vous-même. Pour 6
personnes, prenez un pain
non tranché, enlevez la
croûte, et coupez la mie en
dés. Badigeonnez d'huile,
disposez sur une tôle à
biscuits et faites dorer au
four de 10 à 15 minutes
(180 °C, 350 °F). Pour des
croûtons à l'ail, écrasez 1
gousse d'ail dans l'huile.

Comme plat de résistance,
6 portions

SALADE TIÈDE À L'ORIENTALE

Voici la meilleure façon de cuire un poulet pour une salade : mettez le poulet dans une casserole, la poitrine vers le fond. Couvrez d'eau froide. Ajoutez un oignon en lamelles, 4 grains de poivre et plusieurs brins de persil. Amenez à ébullition à feu modéré. Baissez le feu, couvrez et laissez mijoter 45 minutes ou jusqu'à cuisson parfaite. Transférez le poulet et son bouillon dans un grand bol, toujours la poitrine vers le fond. Laissez refroidir, couvrez et réfrigérez.

220 g (7 oz) de vermicelle de riz
eau bouillante
1 poulet cuit, sans la peau, désossé,
en lamelles
1 carotte, râpée
3 c. à table (45 ml) de coriandre
fraîche, hachée
1 concombre, haché
2 c. à table (30 ml) d'arachides,
hachées

VINAIGRETTE À L'ARACHIDE
2 gousses d'ail, écrasées
1/4 tasse (65 ml) de sauce soya
1/4 tasse (65 ml) de jus de citron,
frais pressé
1 c. à table (15 ml) de beurre
d'arachide
1/3 tasse (90 ml) d'huile végétale
1 c. à table (15 ml) de cassonade

1   Mettre les nouilles dans un grand bol à l'épreuve de la chaleur, couvrir d'eau bouillante et laisser reposer 10 minutes. Égoutter.

2   Mélanger dans un bol le poulet, la carotte, la coriandre et le concombre.

3   Pour la vinaigrette, dans une petite casserole, amener tous les ingrédients à ébullition à feu modéré. Cuire 3 minutes en remuant sans arrêt. Verser sur le poulet et mélanger.

4   Répartir les nouilles dans quatre assiettes, verser la préparation de poulet et parsemer d'arachides. Servir immédiatement.

Comme plat de résistance, 4 portions

SALADE DE POULET À L'ORANGE

1 poulet cuit sans la peau, désossé,
en gros dés
2 branches de céleri, émincé
220 g (7 oz) de marrons, égouttés et
coupés en deux
1 orange, en quartiers
1 oignon rouge, haché fin

VINAIGRETTE À L'ESTRAGON
1 c. à table (15 ml) de persil frais,
haché
1/3 tasse (90 ml) d'huile
1 gousse d'ail, écrasée
1/4 tasse (65 ml) de vinaigre
d'estragon

1   Mélanger dans un bol à salade le
poulet, le céleri, les marrons, les
quartiers d'orange et l'oignon.

2   Pour la vinaigrette, mettre le persil,
l'huile, l'ail et le vinaigre dans un pot.
Fermer le couvercle et agiter. Verser sur
la salade et mélanger délicatement.

4 portions

Cette salade originale et
savoureuse étonnera vos
convives. Idéale pour un
buffet ou un repas d'été
léger et rafraîchissant.

Salade de poulet à l'orange

SALADE DE FOIES TIÈDES

6 tranches de pain sans croûte
4 c. à table (60 ml) de beurre
250 g (1/2 lb) de foies de poulet, parés
3 c. à table (45 ml) de brandy
1 c. à table (15 ml) de fines herbes séchées
250 g (1/2 lb) de feuilles d'épinard
1/4 tasse (65 ml) de vin blanc sec
1 c. à table (15 ml) d'huile d'olive
1 poivron rouge, haché fin

1 Couper les tranches de pain en triangles ou à l'emporte-pièce. Faire fondre la moitié du beurre dans une poêle à feu modéré jusqu'à ce qu'il mousse. Faire dorer les croûtons 1 à 2 minutes et les égoutter sur des essuie-tout.

2 Chauffer le reste du beurre dans la poêle et faire sauter les foies de poulet 2 à 3 minutes en remuant sans arrêt. Ajouter le brandy et les herbes et laisser cuire 3 minutes.

3 Mettre les épinards dans un grand bol à salade. Trancher les foies de poulet et les déposer sur les épinards. Verser le vin dans la poêle et laisser cuire 2 minutes. Passer la sauce au tamis, ajouter l'huile, mélanger et verser sur la salade. Parsemer de croûtons et de poivron rouge.

Cette salade de foies tièdes fera aussi bien une entrée élégante qu'un petit dîner tout simple.

Salade de foies tièdes

En entrée ou comme repas léger, 4 portions

SALADE DE CANARD À LA CRÈME SURE

1 canard de 2 kg (4 lb)
poivre noir frais moulu
**2 c. à table (30 ml) de persil frais,
haché**

VINAIGRETTE CRÉMEUSE
À L'OIGNON

2 oignons rouges, en quartiers
2 c. à table (30 ml) d'huile végétale
**3/4 tasse (190 ml) de bouillon de
poulet**
1/2 tasse (125 ml) de vin blanc sec
3/4 tasse (190 ml) de crème sure

1 Replier les ailes, ficeler les pattes et
poivrer. Mettre le canard sur une grille
dans un plat de cuisson et cuire au four
1 heure ou jusqu'à cuisson parfaite.
Retirer du plat et laisser refroidir
complètement.

2 Pour la vinaigrette, défaire les
quartiers d'oignon, chauffer l'huile dans
une poêle et les faire revenir 5 minutes
ou jusqu'à tendreté. Ajouter le bouillon
et laisser cuire 8 minutes. Ajouter le
vin, amener à ébullition puis baisser le
feu et remuer 5 minutes en raclant le
fond de la poêle. Retirer du feu,
transférer dans un bol et laisser
refroidir. Ajouter la crème sure et
mélanger.

3 Enlever la peau du canard, désosser,
couper la chair en dés et mettre dans un
bol à salade. Verser la vinaigrette et
mélanger. Au moment de servir,
parsemer de persil.

Comme repas léger, 4 portions

Température du four :
180 °C, 350 °F

Vous pouvez servir cette
salade très froide ou à la
température de la pièce,
avec des pommes de terre
nouvelles ou du riz ainsi que
des pointes d'asperges.

Salade de canard à la crème sure

LES CASSE-CROÛTE

Les tacos, les hamburgers et les sandwiches préparés

à la maison peuvent être des casse-croûte sains et nutritifs.

En voici quelques délicieux exemples.

Tacos au poulet

Kebabs de foies de
poulet

Hamburgers au
poulet

Tortillas au poulet

Muffins à la dinde
et aux fruits

Croustades
de poulet
à l'avocat

Tacos au poulet

40

TACOS AU POULET

1 c. à table (15 ml) d'huile d'olive
1 gros oignon, haché fin
2 gousses d'ail, écrasées
500 g (1 lb) de poulet cru, émincé
2 c. à table (30 ml) d'assaisonnement
à tacos
1/2 tasse (125 ml) d'eau
3 c. à table (45 ml) de sauce à tacos
8 coquilles à tacos, réchauffées
1/4 tasse (65 ml) de cheddar fort râpé

1   Chauffer l'huile dans une grande poêle et faire revenir l'ail et les oignons à feu modéré 3 à 4 minutes pour les attendrir. Ajouter le poulet et faire revenir en remuant 5 à 6 minutes ou jusqu'à ce qu'il change de couleur. Ajouter l'assaisonnement à tacos, l'eau et la sauce à tacos, et laisser mijoter 4 à 5 minutes.

2   Répartir la préparation de poulet dans les coquilles à tacos, parsemer de cheddar râpé et servir.

4 portions

On trouve les coquilles, l'assaisonnement et la sauce à tacos dans la plupart des supermarchés. Si vous utilisez des restes de poulet cuit, enlevez la peau, hachez-le finement et faites-le revenir moins longtemps (2 à 3 minutes).

KEBABS DE FOIES DE POULET

500 g (1 lb) de foies de poulet, parés
3/4 tasse (190 ml) de brandy
2 gousses d'ail, écrasées
220 g (7 oz) de tranches de bacon,
coupées en deux
brochettes de bambou

1   Mélanger dans un bol les foies, le brandy et l'ail. Couvrir et laisser mariner 1 heure. Égoutter les foies et les enrouler de bacon.

2   Piquer trois foies par brochette de bambou et passer sous le gril préchauffé 2 minutes de chaque côté, jusqu'à ce que le bacon soit croustillant et les foies à point.

4 portions

Surveillez toujours de près la cuisson des foies de poulet. Trop cuits, ils seront secs et coriaces, alors qu'ils doivent être tendres et légèrement rosés à l'intérieur.

Hamburger au poulet

HAMBURGERS AU POULET

4 tranches de tomates, épaisses
4 pains kayser, grillés
8 tranches de concombre
4 feuilles de laitue
2 c. à table (30 ml) de germes d'alfalfa

BOULETTES DE POULET
500 g (1 lb) de poulet cru, émincé
1 œuf, battu légèrement
1/2 tasse (125 ml) de chapelure
**2 c. à thé (10 ml) de sauce
Worcestershire**
2 c. à table (30 ml) de beurre

1   Mélanger dans un bol le poulet, l'œuf, la chapelure et la sauce Worcestershire. Façonner 8 boulettes, couvrir et réfrigérer de 20 à 30 minutes.

2   Faire fondre le beurre dans une grande poêle et cuire les boulettes, en les écrasant avec une spatule, 3 à 4 minutes de chaque côté, un peu plus au besoin. Retirer de la poêle et éponger avec des essuie-tout.

3   Déposer sur chaque demi-pain une tranche de tomate, deux boulettes de poulet, 2 tranches de concombre, une feuille de laitue, quelques germes d'alfafa et l'autre demi-pain. Servir immédiatement.

4 hamburgers

Ce hamburger au poulet a beau être parfaitement sain, il enchantera tous les enfants de 7 à 77 ans. Vous pouvez demander à votre boucher de hacher votre poulet ou le faire vous-même au hachoir ou au couteau.

TORTILLAS AU POULET

3 c. à table (45 ml) de purée
de tomate

1/2 tasse (250 ml) de cheddar fort,
râpé

250 g (8 oz) de poulet cuit, émincé

1/2 poivron vert, haché

1 piment chili frais, épépiné et haché

TORTILLAS

1 1/2 tasse (375 ml) de polenta
(semoule de maïs)

1 1/2 tasse (375 ml) de farine

une pincée de sel

5 c. à table (75 ml) de beurre,
en morceaux

3/4 tasse (190 ml) d'eau chaude

1 Pour des tortillas, passer au robot la polenta, la farine, le sel et le beurre jusqu'à consistance d'une fine chapelure. Réduire la vitesse du robot et verser l'eau peu à peu pour obtenir une pâte. Enfariner et pétrir 2 minutes.

2 Abaisser la pâte et découper à l'emporte-pièce 8 tortillas de 10 cm. Déposer sur une tôle à biscuits légèrement graissée et cuire au four 10 minutes.

3 Tartiner chaque tortilla de purée de tomate et garnir avec le fromage, le poulet, le poivron vert et le piment chili. Cuire au four 10 minutes et servir immédiatement.

8 tortillas

Température du four :
180 °C, 350 °F

Au Mexique, on appelle tortillas ces fines crêpes de semoule de maïs, alors qu'en Espagne, une tortilla est une omelette plate.

Tortillas au poulet

43

MUFFINS À LA DINDE ET AUX FRUITS

Température du four :
180 °C, 350 °F

Le babeurre ou petit-lait est le liquide qui s'écoule du beurre lorsqu'on le baratte. Ce produit laitier faible en gras a la même valeur nutritive que le lait écrémé. Vous le trouverez dans les grandes épiceries.

4 c. à table (60 ml) de beurre
250 g (8 oz) de dinde fumée en tranches
1/2 tasse (125 ml) de gelée de pomme, de goyave ou de groseille

MUFFINS AU BEURRE
1/2 tasse (125 ml) de beurre
1/2 tasse (125 ml) de sucre
2 œufs
4 c. à table (60 ml) de raisins Sultana, hachés
4 c. à table (60 ml) de noix, hachées
1 c. à thé (5 ml) de bicarbonate de soude
1 tasse (250 ml) de babeurre ou de lait
2 tasses (500 ml) de farine, tamisée

1 Pour les muffins, défaire dans un bol le beurre et le sucre. Ajouter les œufs, un par un, en battant chaque fois. Ajouter les raisins et les noix. Dissoudre le bicarbonate de soude dans le babeurre ou le lait. Incorporer alternativement le lait et la farine.

2 Verser la pâte à la cuillère dans des moules graissés et mettre au four 12 minutes. Laisser refroidir à l'envers sur une grille.

3 Couper les muffins et beurrer légèrement. Garnir de tranches de dinde fumée et de gelée.

15 muffins

Muffins à la dinde et aux fruits

44

Croustades de poulet à l'avocat

CROUSTADES DE POULET À L'AVOCAT

4 tranches de pain brun
60 g (2 oz) de fromage à la crème,
ramolli
4 c. à table (60 ml) de mayonnaise
250 g (8 oz) de poulet cuit, tranché
4 tranches de cheddar fort
1 avocat, pelé et tranché
1 c. à table (15 ml) de ciboulette
fraîche, hachée

1   Tartiner chaque tranche de pain de
fromage à la crème, puis de mayonnaise.
Garnir de poulet et d'une tranche de
fromage. Passer au gril préchauffé 2 à 3
minutes ou jusqu'à ce que le fromage
fonde.

2   Garnir de tranches d'avocat,
parsemer de ciboulette et servir
immédiatement.

4 portions

LES PLATS EXPRESS

Vous voulez faire un repas substantiel mais vous avez très peu de temps à y consacrer? Voici quelques recettes éclair qui résoudront le problème tout en flattant les palais.

Pain de poulet Waldorf

PAIN DE POULET WALDORF

1 pain croûté rond
1 pomme Granny Smith, hachée fin
1/4 tasse (65 ml) de noix, hachées
3 oignons verts (échalotes),
hachés fin
2 c. à table (30 ml) de persil frais,
haché
1/2 tasse (125 ml) de mayonnaise
poivre noir frais moulu
10 feuilles d'épinards
3 suprêmes de poulet, cuits et
tranchés
4 tomates, tranchées

1   Couper le dessus du pain et réserver.
Vider le pain de sa mie.

2   Mélanger dans un bol la pomme, les
noix, les oignons verts, le persil, la
mayonnaise et le poivre. Déposer dans
le pain une couche d'épinards, une
couche de poulet, une couche de
pommes et une couche de tomates.
Répétez les couches jusqu'à ce que le
pain soit rempli, en terminant par une
couche d'épinards. Replacer le dessus
du pain et l'envelopper dans un papier
d'aluminium. Déposer sur le pain une
planche de bois et une boîte de
conserve, puis réfrigérer toute une nuit.
Couper en pointes et servir.

8 portions

Voici un plat idéal pour les
pique-niques. Il ne vous
reste qu'à le déposer dans
le panier avant de partir.
Un succès assuré!

PILONS CROUSTILLANTS AU PARMESAN

3 c. à table (45 ml) de moutarde
de Dijon
4 c. à table (60 ml) d'huile végétale
4 oignons verts (échalotes), hachés fin
2 c. à table (30 ml) de parmesan râpé
poivre noir frais moulu
8 pilons de poulet
1/2 tasse (125 ml) de chapelure
4 c. à table (60 ml) de beurre, fondu

1   Mélanger dans un bol la moutarde,
l'huile, les oignons verts et le parmesan.
Poivrer au goût.

2   Badigeonner les pilons de
préparation à la moutarde, rouler dans
la chapelure et déposer dans un plat de
cuisson légèrement graissé. Verser le
beurre sur les pilons et mettre au four 30
minutes ou jusqu'à ce qu'ils soient cuits.

4 portions

Température du four :
180 °C, 350 °F

Croustillants à l'extérieur et
tendres à l'intérieur, ces
pilons sont aussi délicieux
que faciles à faire. Servez-
les avec une purée de
pommes de terre et une
salade verte.

CROQUETTES DE DINDE

6 c. à table (90 ml) de beurre
1 1/3 tasse (340 ml) de farine
1 tasse (250 ml) de lait, chaud
125 g (4 oz) de fromage ricotta
250 g (8 oz) de dinde cuite, émincée
1/2 tasse (125 ml) de cheddar fort, râpé
2 c. à table (30 ml) de persil frais, haché
1 tasse (250 ml) de chapelure
1 œuf, battu légèrement
huile à friture

1   Faire fondre le beurre dans une casserole, ajouter 1/3 de tasse (90 ml) de farine et cuire 30 secondes à feu modéré en remuant. Verser le lait peu à peu sans cesser de remuer jusqu'à ce que la sauce épaississe (4 à 5 minutes). Retirer du feu et ajouter la ricotta, la dinde, le cheddar et le persil. Bien mélanger et réfrigérer.

2   Mettre la chapelure et le reste de la farine dans deux assiettes et réserver. Façonner la dinde en croquettes, rouler dans la farine, puis tremper dans l'œuf et rouler dans la chapelure. Déposer sur un plat tapissé de pellicule plastique, couvrir et mettre au congélateur 15 minutes.

3   Chauffer l'huile dans une grande casserole et dorer les croquettes de 3 à 4 minutes.

Faire des croquettes est une excellente façon d'utiliser des restes de dinde mais aussi de poulet, d'agneau ou de bœuf. Vous pouvez également vous servir de thon ou de saumon en conserve à condition de bien égoutter.

Croquettes de dinde

4 portions

Sauté de poulet aux légumes

SAUTÉ DE POULET AUX LÉGUMES

2 c. à table (30 ml) d'huile végétale
1 oignon, tranché
1 poivron vert, en lamelles
1 poivron rouge, en lamelles
1 courgette, tranchée
1 1/2 tasse (375 ml) de coulis ou de
sauce tomate
1 c. à table (15 ml) de basilic frais,
haché
1 c. à table (15 ml) de persil frais,
haché
1 c. à thé (5 ml) de thym frais, haché
ou 1/2 c. à thé (2,5 ml) de thym séché
500 g (1 lb) de suprêmes de poulet,
cuits, en lamelles
poivre noir frais moulu

1   Chauffer l'huile dans une grande poêle et faire cuire l'oignon à feu modéré, 5 minutes ou jusqu'à tendreté. Ajouter les poivrons, la courgette et le coulis ou la sauce tomate, et amener à ébullition. Baisser le feu et laisser mijoter 10 minutes.

2   Ajouter le basilic, le persil, le thym et le poulet et laisser mijoter encore 10 minutes ou jusqu'à ce que le poulet soit cuit. Poivrez au goût.

4 portions

Servez ce sauté de poulet aux légumes et aux herbes avec des nouilles au beurre parsemées de persil frais.

Suprêmes de poulet au cari

SUPRÊMES DE POULET AU CARI

4 c. à table (60 ml) de beurre
4 suprêmes de poulet
1 oignon, haché
1 gousse d'ail, écrasée
1 c. à table (15 ml) de cari
1/2 c. à thé (2,5 ml) de cumin moulu
1/2 c. à thé (2,5 ml) de coriandre
moulue
1 c. à table (15 ml) de miel
1 c. à table (15 ml) de jus de citron
frais
1/3 tasse (90 ml) de vin rouge
3/4 tasse (190 ml) de crème 35 %
2 c. à table (30 ml) de mayonnaise
2 c. à table (30 ml) de coriandre
fraîche, hachée

4 portions

Cette recette très rapide
d'exécution fera beaucoup
d'effet sur vos invités.
Idéale pour recevoir à
l'impromptu, surtout si vous
avez la bonne habitude de
garder quelques suprêmes
de poulet au congélateur.

1 Faire fondre le beurre dans une
grande poêle et cuire le poulet (3 à 4
minutes de chaque côté). Retirer le
poulet de la poêle, et garder au chaud.

2 Cuire l'oignon et l'ail 3 à 4 minutes
ou jusqu'à ce que l'oignon soit tendre.
Ajouter le cari, le cumin ainsi que la
coriandre moulue et cuire encore 3
minutes.

3 Ajouter le miel, le jus de citron et le
vin et cuire 2 minutes. Incorporer la
crème et la mayonnaise et laisser
mijoter 2 minutes. Verser la sauce sur
le poulet, garnir de coriandre et servir
immédiatement.

POULET GLACÉ AU MIEL

1 poulet de 1,5 kg (3 lb), coupé
en deux

GLACE AU MIEL
3 c. à table (45 ml) de miel
2 c. à thé (10 ml) de gingembre moulu
3 c. à table (45 ml) de sauce
Worcestershire
2 c. à table (30 ml) de sauce soya
2 gousses d'ail, écrasées

1   Préchauffer le gril à température
modérée. Déposer les moitiés de poulet
dans une lèchefrite.

2   Pour la glace, mettre les ingrédients
dans une petite casserole et amener à
ébullition à feu modéré. Badigeonner de
cette glace les moitiés de poulet et
passer sous le gril de 10 à 15 minutes de
chaque côté ou jusqu'à cuisson parfaite.

4 portions

Vous pouvez faire couper
votre poulet en deux par
votre boucher ou le faire
vous-même. Avec des
ciseaux à volaille, coupez
de chaque côté de
l'échine pour l'enlever.
Aplatissez ensuite chaque
moitié en appuyant
fermement dessus pour
briser les os de la poitrine.

Poulet glacé au miel

51

POULETS DE CORNOUAILLES AUX GROSEILLES

Température du four :
180 °C, 350 °F

2 poulets de Cornouailles, coupés
en deux

GLACE AUX GROSEILLES
1 c. à table (15 ml) de beurre
4 c. à table (60 ml) de gelée
de groseilles
2 c. à thé (10 ml) de miel
3 c. à table (45 ml) de jus de citron
frais

1   Pour la glace, cuire tous les
ingrédients dans une petite casserole, à
feu modéré, en remuant jusqu'à ce
qu'ils soient bien mélangés et fondus.

2   Placer les poulets dans un plat de
cuisson, badigeonner de glace et mettre
au four 25 minutes ou jusqu'à ce qu'ils
soient cuits, en badigeonnant de glace
de temps à autres.

4 portions

AILES DE POULET À LA CHINOISE

Les ailes de poulet seront
plus faciles à manger si
vous les préparez de la
façon suivante : coupez le
bout de l'aile, mettez l'os à
nu à l'aide d'un couteau
bien aiguisé et repoussez la
viande vers la plus grosse
partie de l'os. Avec les
doigts, tirez la peau et la
viande vers l'extrémité de
l'os pour que l'aile prenne
la forme d'un petit pilon.

4 c. à table (60 ml) de beurre
1 gousse d'ail, écrasée
1 c. à table (15 ml) de gingembre
frais râpé
16 ailes de poulet
3 c. à table (45 ml) de miel
3 c. à table (45 ml) de sauce
Worcestershire
3 c. à table (45 ml) de sauce soya
3 c. à table (45 ml) de graines
de sésame

1   Faire fondre le beurre dans une
grande poêle et cuire l'ail et le
gingembre 1 minute à feu modéré.

2   Ajouter les ailes de poulet et dorer 3
minutes. Ajouter le miel, la sauce
Worcestershire et la sauce soya, et cuire
encore 5 minutes ou jusqu'à ce que les
ailes soient prêtes. Garnir de graines de
sésame et servir immédiatement.

4 portions

Ailes de poulet à la chinoise,
poulets de Cornouailles aux groseilles

Poulet Stroganoff

POULET STROGANOFF

6 c. à table (90 ml) de beurre
500 g (1 lb) de suprêmes de poulet,
crus, en lamelles
155 g (5 oz) de petits champignons,
coupés en deux
1/2 tasse (125 ml) de vin blanc sec
1 tasse (250 ml) de crème 35 %
2 c. à table (30 ml) de purée
de tomate
1/2 c. à thé (2,5 ml) de muscade,
râpée
1 oignon vert (échalote), haché fin

1   Faire fondre 4 c. à table (60 ml) de beurre dans une grande poêle et faire revenir le poulet à feu modéré 2 à 3 minutes ou jusqu'à ce qu'il change de couleur. Retirer de la poêle et réserver.

2   Faire fondre le reste du beurre dans la poêle et faire revenir les champignons 2 ou 3 minutes. Ajouter le vin, la crème, la purée de tomate et la muscade. Faire revenir à feu vif 5 minutes ou jusqu'à ce que la sauce épaississe.

3   Remettre le poulet dans la poêle et cuire à feu modéré 3 à 4 minutes ou jusqu'à ce que le poulet soit prêt. Ajouter l'échalote et servir immédiatement.

4 portions

Servez le poulet Stroganoff sur un lit de riz blanc ou brun, accompagné d'un légume vert — des asperges ou des haricots par exemple.

CASSEROLE DE POULET AUX POIVRONS

2 c. à table (30 ml) d'huile végétale
4 suprêmes de poulet, en lamelles
1 navet, en bâtonnets
2 oignons, hachés
1 boîte (398 ml) de poivrons rouges,
égouttés et en lamelles
1 tasse (250 ml) de vin blanc sec
1 boîte (398 ml) de tomates broyées
3 c. à table (45 ml) de basilic frais,
haché fin

1 Chauffer l'huile dans une grande casserole et faire revenir le poulet à feu modéré 2 à 3 minutes ou jusqu'à ce qu'il change de couleur. Retirer de la poêle et réserver.

2 Mettre dans la casserole le navet, les oignons et les poivrons et cuire 3 à 4 minutes. Incorporer le vin et les tomates et amener à ébullition à feu modéré en remuant. Baisser le feu et laisser mijoter les légumes 10 minutes ou jusqu'à tendreté. Ajouter le poulet et cuire 3 à 4 minutes. Ajouter le basilic et servir immédiatement.

Cette casserole express ne nécessite aucun accompagnement, sinon peut-être du pain à l'ail et une bonne salade verte.

Casserole de poulet aux poivrons   **4 portions**

SAUTÉ DE FOIES AUX LÉGUMES

2 c. à table (30 ml) d'huile végétale
1 oignon, haché
1 poivron vert, haché
125 g (4 oz) de champignons,
tranchés
250 g (8 oz) de foies de poulet, hachés
2 grosses tomates, pelées, épépinées
et hachées
2 feuilles de sauge fraîche, hachée
poivre noir frais moulu
250 g (8 oz) de petites pâtes, cuites

Nous vous suggérons
d'utiliser des farfales (voir
photo) pour cette recette,
mais n'importe quelles
petites pâtes feront
l'affaire.

1   Chauffer l'huile dans une grande
poêle et faire revenir l'oignon 3 à 4
minutes ou jusqu'à tendreté. Ajouter le
poivron et cuire en remuant 3 à 4
minutes. Ajouter les champignons et
cuire 2 minutes.

2   Ajouter les foies de poulet et cuire
en remuant 3 à 4 minutes. Ajouter les
tomates, la sauge, le poivre (au goût) et
cuire en remuant 4 à 5 minutes, jusqu'à
ce que les tomates rendent leur jus.

3   Ajouter les pâtes et réchauffer 4 à 5
minutes. Servir immédiatement.

4 portions

Sauté de foies aux légumes

CRÊPES AU POULET ET AUX LÉGUMES

1 tasse (125 ml) de farine
1 œuf
1 1/2 tasse (375 ml) de lait
1 courgette, râpée
2 c. à table (30 ml) de persil frais,
haché

GARNITURE DE POULET
1 tasse (250 ml) de crème 35 %
1/4 c. à thé (1,25 ml) de muscade
râpée
1/4 tasse (65 ml) de vin blanc
250 g (8 oz) de poulet cuit, en
morceaux
1 c. à table (15 ml) de ciboulette
fraîche, hachée

Crêpes au poulet et aux légumes **4 portions**

1 Passer au robot la farine, l'œuf et le lait jusqu'à consistance lisse. Verser dans un bol et incorporer la courgette et le persil. Couvrir et réserver 15 minutes.

2 Verser dans une poêle chauffée et graissée assez de préparation pour couvrir le fond. Cuire à feu modéré jusqu'à ce que des bulles se forment à la surface de la crêpe. Retourner et cuire jusqu'à ce qu'elle soit dorée. Répéter l'opération avec le reste du mélange.

3 Pour la garniture, réchauffer la crème dans une casserole 4 à 5 minutes à feu modéré. Incorporer la muscade et le vin, et laisser mijoter 10 minutes pour que le mélange réduise et épaississe légèrement. Incorporer le poulet et la ciboulette, et cuire 2 à 3 minutes. Verser sur les crêpes et servir.

On oublie trop souvent combien les crêpes peuvent être délicieuses et simples à préparer. Voilà une recette originale qui vous en fera redécouvrir tout le charme.

LES RESTES DE DINDE

Autrefois réservée aux grandes occasions — Noël, Pâques, l'Action de grâces —, la dinde s'est démocratisée ces dernières années. Nous avons donc pensé vous suggérer ces quelques idées pour accommoder les restes.

Dinde Tetrazzini

Dinde à la créole

Gratin de dinde
et nouilles

Toasts à la dinde

Croustades de dinde
aux asperges

Salade de dinde
au feta

Dinde Tetrazzini

DINDE TETRAZZINI

90 g (3 oz) de tagliatelles aux œufs
90 g (3 oz) de tagliatelles aux tomates
90 g (3 oz) de tagliatelles aux épinards
4 c. à table (60 ml) de beurre
4 tranches de bacon, haché
1 oignon, haché
125 g (4 oz) de champignons,
tranchés
1/3 tasse (90 ml) de farine
1 3/4 tasse (440 ml) de bouillon
de poulet
3/4 tasse (190 ml) de crème 35 %
2 c. à table (30 ml) de sherry sec
375 g (12 oz) de dinde cuite, en dés
une pincée de muscade
poivre noir frais moulu
2 c. à table (30 ml) de parmesan râpé

1   Cuire les tagliatelles dans une grande casserole selon les instructions du fabricant. Égoutter et garder au chaud.

2   Faire fondre le beurre dans une casserole. Faire revenir le bacon et l'oignon à feu modéré 4 à 5 minutes pour l'attendrir. Ajouter les champignons et cuire 5 minutes.

3   Incorporer la farine, ajouter peu à peu le bouillon et amener à ébullition. Baisser le feu et cuire en remuant 4 à 5 minutes jusqu'à ce que la sauce épaississe. Retirer du feu et ajouter la crème, le sherry, la dinde, la muscade et les pâtes. Poivrer au goût.

4   Transférer le mélange dans un plat de cuisson, parsemer de parmesan et mettre au four 30 minutes ou jusqu'à ce que le fromage soit bien gratiné.

4 portions

Température du four :
180 °C, 350 °F

Vos restes se conserveront mieux si vous videz la dinde de sa farce pour la réfrigérer à part. Couvrez bien la dinde pour ne pas qu'elle sèche.

DINDE À LA CRÉOLE

1 c. à table (15 ml) de beurre
1 gousse d'ail, écrasée
1 oignon, haché
1 c. à table (15 ml) de farine
1 c. à thé (5 ml) de poudre de chili
1/2 tasse (125 ml) de jus de tomate
1/2 tasse (125 ml) de bouillon
de poulet
375 g (12 oz) de dinde cuite, hachée
125 g (4 oz) de petits champignons,
tranchés
poivre noir frais moulu

1   Chauffer le beurre dans une grande poêle. Faire revenir l'ail et l'oignon à feu modéré 3 à 4 minutes, jusqu'à tendreté. Incorporer la farine et la poudre de chili, et cuire 1 minute en remuant.

2   Ajouter le jus de tomate et le bouillon. Amener à ébullition à feu modéré en remuant. Baisser le feu et cuire en remuant jusqu'à ce que la sauce épaississe. Ajouter la dinde et les champignons, et poivrer au goût. Amener à ébullition, baisser le feu et laisser mijoter 5 minutes.

4 portions

Voici une excellente façon d'accommoder les restes de dinde. Servez sur un lit de riz blanc.

GRATIN DE DINDE ET NOUILLES

Température du four :
180 °C, 350 °F

Souvenez-vous qu'il vaut mieux manger les restes de volaille cuite dès le lendemain et qu'on ne doit pas les conserver plus de 2 jours.

375 g (12 oz) de nouilles aux œufs cuites
250 g (8 oz) de dinde cuite, en dés
1/4 tasse (65 ml) de cheddar fort, râpé
2 branches de céleri, émincé
2 tasses (500 ml) de lait
2 œufs
1 c. à thé (5 ml) de cari
poivre noir frais moulu
1/2 tasse (125 ml) de chapelure
1 c. à table (15 ml) de beurre

1   Disposer au fond d'un plat de cuisson graissé 1/3 des nouilles et 1/3 de la dinde, du fromage et du céleri. Répéter l'opération en couches successives.

2   Mélanger dans un bol le lait les œufs, le cari et le poivre, et verser délicatement sur la dinde et les nouilles. Couvrir de chapelure et déposer la noix de beurre. Mettre au four 40 minutes ou jusqu'à consistance ferme.

6 portions

TOASTS À LA DINDE

Un plat sans prétention qui a le mérite d'utiliser tous les restes de la veille. Si vous n'avez pas de sauce, vous pouvez la remplacer par de la crème ou de la crème de champignon.

375 g (12 oz) de dinde cuite, hachée
2 pommes de terre cuites, en dés
1 tasse (250 ml) de reste de sauce de dinde
2 oignons verts (échalotes), hachés
poivre noir frais moulu
4 tranches de pain complet, grillées et légèrement beurrées
2 c. à table (30 ml) de persil frais, haché

1   Mettre dans une casserole la dinde, les pommes de terre, le bouillon, les oignons et le poivre (au goût), puis amener à ébullition à feu modéré en remuant.

2   Verser sur les tranches de pain grillé, parsemer de persil et servir immédiatement.

4 portions

CROUSTADES DE DINDE AUX ASPERGES

4 tranches de pain, grillées et
légèrement beurrées
8 tranches de dinde cuite
1 boîte (398 ml) de pointes
d'asperges, égouttées
1 tasse (250 ml) de crème d'asperge
1 tasse (250 ml) de lait évaporé
poivre noir frais moulu
3 c. à table (45 ml) de parmesan râpé

1   Placer les tranches de pain dans
une lèchefrite légèrement graissée.
Recouvrir de dinde et de pointes
d'asperges les tranches de pain.

2   Mélanger dans un bol la soupe, le
lait et le poivre. Verser délicatement
sur les tranches de pain, saupoudrer de
parmesan et mettre au four 20 à 25
minutes, pour que le mélange bouille et
que le fromage soit bien doré.

4 portions

Température du four :
200 °C, 400 °F

SALADE DE DINDE AU FETA

500 g (1 lb) de dinde cuite,
en gros dés
2 branches de céleri, émincé
1 concombre, pelé, épépiné et haché
12 olives noires, dénoyautées
250 g (8 oz) de fromage feta
1 pomme d'escarole (chicorée frisée)
1 petite botte de cresson

VINAIGRETTE AU BASILIC
1 gousse d'ail, écrasée
4 c. à table (60 ml) de persil frais,
haché
2 c. à table (30 ml) de moutarde
à l'ancienne
poivre noir frais moulu
1/4 tasse (65 ml) de jus de citron frais
1/4 tasse (65 ml) de vinaigre de
vin rouge
1/4 tasse (65 ml) d'huile végétale
1/4 tasse (65 ml) d'huile d'olive

1   Pour la vinaigrette, mettre l'ail, le
basilic, la moutarde, le poivre, le jus de
citron, le vinaigre, l'huile végétale et
l'huile d'olive dans un pot. Fermer le
couvercle et agiter.

2   Mettre dans un bol la dinde, le
céleri, le concombre, les olives et le
fromage feta. Verser la vinaigrette et
remuer.

3   Disposer les feuilles d'escarole dans 4
assiettes. Ajouter le mélange de dinde
et garnir de cresson. Servir
immédiatement.

6 portions, comme repas léger

La chicorée frisée et le
cresson se marient
parfaitement dans cette
salade qui vous changera
de la sempiternelle laitue.

POULET FARCI AU FROMAGE

Poulet farci au fromage et aux herbes

1 poulet de 1,5 kg (3 lb)
1 tasse (250 ml) de vin blanc sec
1 tasse (250 ml) de bouillon de poulet
2 c. à table (30 ml) de beurre

FARCE AU FROMAGE
90 g (3 oz) de fromage ricotta
2 c. à table (30 ml) de persil frais,
haché
2 c. à thé (10 ml) d'estragon frais,
haché
4 oignons verts (échalotes), hachés fin
2 c. à table (30 ml) de beurre, ramolli
poivre noir frais moulu

FARCE AUX HERBES
4 c. à table (60 ml) de beurre
1 petit oignon, haché
2 branches de céleri, émincé
2 c. à thé (10 ml) d'estragon frais,
haché

2 c. à table (30 ml) de persil frais,
haché
1 c. à thé (5 ml) de zeste de citron,
râpé
2 tasses (500 ml) de chapelure
poivre noir frais moulu

SAUCE
1 1/2 tasse (375 ml) de jus de cuisson
et de bouillon de poulet
1 c. à table (15 ml) de fécule de maïs
1/2 tasse (125 ml) de crème 35 %
poivre noir frais moulu

Température du four :
180 °C, 350 °F

Anthony Johnson/IMAGE BANK

1 Pour la farce au fromage, mélanger dans un bol le fromage, le persil, l'estragon, les oignons et le beurre. Poivrer au goût.

2 Décoller délicatement la peau de la poitrine avec les doigts et répartir uniformément la préparation au fromage sous la peau.

3 Pour la farce aux herbes, chauffer le beurre dans une grande casserole et faire revenir l'oignon pour l'attendrir. Mélanger dans un bol le céleri, l'estragon, le persil, le zeste de citron, la chapelure et les oignons cuits. Poivrer au goût. Farcir le poulet et fermer la cavité.

4 Replier les ailes, ficeler les pattes et mettre sur une grille dans un plat de cuisson. Mélanger le vin, le bouillon et le beurre, badigeonner le poulet et mettre au four 1 heure. Badigeonner régulièrement.

5 Pour la sauce, garder 1 1/2 tasse (375 ml) de jus de cuisson (compléter de bouillon de poulet, au besoin) dans le plat et amener à ébullition à feu modéré. Dans un petit bol, mélanger la fécule et la crème, et ajouter un peu de liquide chaud. Verser dans le plat de cuisson en remuant constamment 3 à 4 minutes jusqu'à ce que la sauce épaississe. Poivrer au goût et servir.

4 portions

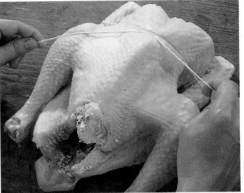

Paul E. Elson/IMAGE BANK

Quand vous rôtissez un poulet, assurez-vous qu'il y ait toujours du liquide au fond de la lèchefrite. Ajoutez du bouillon de poulet ou du vin s'il s'est évaporé en cours de cuisson.

Paul E. Elson/IMAGE BANK

Si vous préférez, vous pouvez utiliser du fromage bleu, du fromage à la crème ou du camembert sous la peau au lieu de la ricotta.

POUR FICELER UN POULET

Un poulet bien ficelé garde sa forme pendant la cuisson. Piquez une brochette de métal d'un bord à l'autre du poulet. Placez la poitrine vers le bas. Prenez une bonne longueur de ficelle, coincez les ailes puis passez la ficelle derrière la brochette et croisez sur le dos. Tournez le poulet la poitrine vers le haut et attachez les pattes.

POULET FARCI AUX ÉPINARDS

Température du four :
180 °C, 350 °F

4 pattes (cuisse et pilon) de poulet
2 c. à table (30 ml) de beurre

FARCE AUX ÉPINARDS
125 g (4 oz) d'épinards, décongelés
1 gousse d'ail, écrasée
125 g (4 oz) de fromage ricotta ou
cottage, égoutté
2 c. à thé (10 ml) de parmesan râpé
1 c. à thé (5 ml) de zeste de citron,
râpé
une pincée de muscade, râpée

SAUCE TOMATÉE
1 boîte (284 ml) de sauce tomate
2 c. à thé (10 ml) de sauce
Worcestershire

Poulet farci aux épinards

1 Pour la farce, presser les épinards pour enlever le surplus d'eau. Mélanger dans un bol les épinards, l'ail, le fromage ricotta ou cottage, le parmesan, le zeste de citron et la muscade.

2 Décoller doucement la peau du poulet avec les doigts.

3 Insérer délicatement la farce entre la chair et la peau. Placer le poulet dans un plat de cuisson, badigeonner de beurre fondu et mettre au four de 35 à 40 minutes.

4 Pour la sauce, mettre la sauce de tomate et la sauce Worcestershire dans une casserole, à feu modéré, et laisser mijoter 3 à 4 minutes. Servir avec le poulet.

4 portions

Vous pouvez n'utiliser que les pilons, si vous préférez.

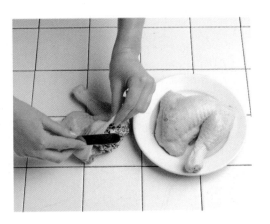

Le poulet doit toujours être complètement décongelé avant la cuisson. Laissez-le décongeler au réfrigérateur de 24 à 36 heures, mettez-le au micro-ondes à «DEFROST» de 10 à 15 minutes par 500 g de poulet. Rincez bien l'intérieur du poulet à l'eau froide et épongez-le avec des essuie-tout. Assurez-vous qu'il ne reste aucun glaçon dans la cavité.

TARTELETTES FROIDES AU POULET

Température du four :
190 °C, 375 °F

Le garam masala est un
mélange d'épices :
cardamome, cannelle, clou
de girofle, coriandre,
cumin, muscade et, parfois,
poivre. Si vous ne pouvez
vous en procurer dans une
épicerie asiatique,
remplacez par du cari ou
du cumin moulu.

PÂTE
3 tasses (750 ml) de farine
6 c. à table (90 ml) de beurre, en
morceaux
6 c. à table (90 ml) de saindoux, en
morceaux
1/3 tasse (90 ml) d'eau froide
1 œuf, battu

GARNITURE AU POULET ÉPICÉE
2 c. à table (30 ml) de beurre
60 g (2 oz) de petits champignons,
tranchés
1 oignon, haché
2 c. à thé (10 ml) de garam masala
1/4 tasse (65 ml) de farine
3/4 tasse (190 ml) de bouillon de poulet
315 g (10 oz) de poulet cuit, en dés
1/4 tasse (65 ml) de maïs en grains
poivre noir frais moulu

1 Pour la garniture, chauffer le beurre
dans une casserole et faire revenir les
champignons, l'oignon et le garam
masala à feu modéré 3 à 4 minutes, ou
jusqu'à ce que l'oignon soit tendre.
Incorporer la farine et cuire 1 minute.
Ajouter le bouillon et amener à
ébullition en remuant constamment.
Baisser le feu et laisser mijoter 2
minutes en remuant. Retirer la
casserole du feu, ajouter le poulet, le
maïs et le poivre, et laisser refroidir
complètement.

Tartelettes froides au poulet

2 Pour la pâte, passer au robot la farine, le beurre et le saindoux jusqu'à consistance d'une fine chapelure. Pendant que l'appareil fonctionne, incorporer l'eau jusqu'à l'obtention d'une boule ferme. Rouler la pâte sur une surface enfarinée et pétrir jusqu'à ce qu'elle soit lisse.

3 Avec les 2/3 de la pâte, faire 4 petites abaisses et les déposer dans des moules de fantaisie de 12,5 cm. Utiliser le reste de la pâte pour les 4 abaisses de dessus.

4 Emplir chaque moule de garniture, mouiller le bord de la croûte de fond et couvrir avec l'abaisse de dessus. Presser les bords et tailler la pâte qui excède. Rouler le surplus, façonner en motifs décoratifs et déposer sur les tartelettes. Badigeonner d'œuf battu.

5 Mettre au four de 40 à 45 minutes ou jusqu'à ce que la croûte soit bien dorée. Retirer du four, laisser refroidir et démouler.

4 portions

Ces tartelettes froides sont délicieuses avec un chutney aux fruits et une salade verte.

*Idéales pour la boîte à lunch ou le panier à pique-nique.
Congelez-en quelques-unes et vous en aurez toujours sous la main.*

DINDE FARCIE AUX MARRONS

Température du four :
180 °C, 350 °F

1 dinde de 4 kg (8 lb)
4 c. à table (60 ml) de beurre, fondu
1 tasse (250 ml) de bouillon de poulet

FARCE AU VEAU

2 c. à table (30 ml) de beurre
1 oignon, haché fin
1 tranche de bacon, haché fin
250 g (8 oz) de veau, maigre, haché
3 tasses (750 ml) de chapelure
1/2 c. à thé (2,5 ml) de zeste de
citron, râpé
1/2 c. à thé (2,5 ml) de persil frais,
haché fin
1/2 c. à thé (2,5 ml) de sauge séchée
1 pincée de muscade
1 œuf, battu légèrement
poivre noir frais moulu

FARCE AUX MARRONS

1 boîte (398 ml) de purée de marrons,
passée au tamis
2 pommes à cuisson, pelées, évidées et
râpées
3 tasses (750 ml) de chapelure
1 oignon, haché fin
1 branche de céleri, émincé
4 c. à table (60 ml) de noix, hachées
fin
1 c. à table (15 ml) de persil frais,
haché fin
3 c. à table (45 ml) de beurre, fondu
1 œuf, battu légèrement
une pincée de muscade
poivre noir frais moulu

Dinde farcie aux marrons

1 Pour la farce au veau, chauffer le beurre dans une poêle et faire revenir l'oignon et le bacon 4 ou 5 minutes pour que le bacon soit croustillant. Incorporer le veau, la chapelure, le zeste de citron, le persil, la sauge, la muscade, l'œuf et le poivre. Bien remuer.

2 Pour la farce aux marrons, bien mélanger dans un bol tous les ingrédients.

3 Enlever le cou et les abats de la dinde. Nettoyer l'intérieur et bien assécher. Emplir la cavité près des pattes de farce aux marrons et la cavité du cou de farce au veau. Refermer les ouvertures, replier les ailes sous la dinde et ficeler les pattes.

4 Placer la dinde sur la grille d'une lèchefrite. Badigeonner de beurre et ajouter le bouillon de poulet. Mettre au four 3 heures à 3 1/2 heures, ou plus au besoin, en arrosant fréquemment de jus de cuisson. Garder au chaud 20 minutes avant de dépecer.

10 portions

Il est préférable de décongeler la dinde au réfrigérateur de 36 à 48 heures selon sa grosseur. Rincez bien l'intérieur à l'eau froide et épongez avec des essuie-tout. Assurez-vous qu'il ne reste aucun glaçon dans la cavité.

À Noël comme à Pâques, cette dinde farcie au veau
et aux marrons, un classique de la cuisine anglo-saxonne,
fera le bonheur de vos convives.

LE DÉPEÇAGE DE LA DINDE

L'ustensile idéal pour dépecer la dinde est un couteau pointu et bien aiguisé, à lame longue et flexible. Mettez la dinde sur le dos, coupez et retirez la ficelle et enlevez le fil ou les brochettes qui ferment la cavité. Tenez la dinde en place à l'aide d'une fourchette à dépecer.

1 Pour détacher la patte, coupez la peau en suivant l'articulation de la cuisse. Écartez la patte et coupez dans l'articulation mise à nu.

2 Pour séparer la cuisse du pilon, coupez en diagonale dans l'articulation.

3 Pour trancher le pilon, tenez-le debout par l'extrémité de l'os, coupez un gros morceau de chaque côté, puis tranchez.

4 Pour trancher la cuisse, tenez-la solidement et coupez en 4 ou 5 morceaux.

5 Pour détacher les ailes, coupez la partie avant de la poitrine qui dépasse les articulations des ailes. Écartez l'aile et coupez dans l'articulation mise à nu.

6 Pour trancher la poitrine, maintenez bien la dinde en place, et coupez en diagonale de minces tranches. Quand vous atteindrez la partie avant de la poitrine, les tranches tomberont d'elles-mêmes.

TEMPS DE CUISSON POUR LA DINDE FARCIE	
Cuire la dinde dans un four préchauffé à 180°C (350°F). Une température plus élevée ne donnera pas une cuisson uniforme.	
Poids	**Temps**
2,5 - 3 kg (5 à 6 lb)	$2^{1}/_{2}$ - 3 heures
3 - 4 kg (6 à 8 lb)	3 - $3^{1}/_{2}$ heures
4 - 6 kg (8 à 12 lb)	$3^{1}/_{2}$ - 4 heures

BOUILLON DE POULET

4 clous de girofle
2 oignons, coupés en deux
1 carcasse de poulet, sans peau ni gras
12 tasses (3 l) d'eau froide
2 carottes, hachées grossièrement
4 branches de céleri, émincé
herbes fraîches, au choix
1/2 c. à thé (2,5 ml) de grains
de poivre

1 Piquer les oignons de clous de girofle.

2 Mettre tous les ingrédients dans une grande casserole et amener à ébullition. Réduire le feu et laisser mijoter 2 heures en remuant de temps à autre.

3 Passer le bouillon, laisser refroidir et réfrigérer 12 heures. Enlever la couche de gras et le bouillon est prêt à utiliser.

8 tasses (2 l)

Pour une petite quantité de bouillon, le micro-ondes s'avère très utile. Mettez dans un bol une carcasse de poulet, un oignon et une carotte hachés, 2 branches de céleri émincé, du persil et des herbes au goût. Couvrez d'eau et faites cuire à découvert 45 minutes à «HIGH». Passez le bouillon et réfrigérez pour la nuit. Enlevez la couche de gras avant d'utiliser le bouillon.

Le bouillon de poulet se conserve au réfrigérateur 3 à 4 jours et au congélateur, 12 mois. Il est plus pratique de congeler le bouillon en petites portions de 1/2 tasse ou de 1 tasse (125 ml ou 250 ml) prêtes à utiliser.

GOULASCH DE POULET EN CROÛTE

Température du four :
180 °C, 350 °F

2 c. à table (30 ml) d'huile végétale
2 gros oignons, hachés
1 1/2 c. à table (22,5 ml) de paprika
2 c. à table (30 ml) de farine, salée
et poivrée
500 g (1 lb) de suprêmes de poulet,
en lamelles
1 c. à table (15 ml) de purée
de tomate
1/2 tasse (125 ml) de vin rouge

1/2 tasse (125 ml) de bouillon
de poulet
3 c. à table (45 ml) de yaourt nature

CROÛTE À LA CRÈME SURE
1/2 tasse (125 ml) de beurre, ramolli
300 g (9,5 oz) de crème sure
1 œuf
1 tasse (250 ml) de farine préparée,
tamisée
1 c. à table (15 ml) de persil frais,
haché

Goulasch de poulet en croûte

1 Chauffer 1 c. à table (15 ml) d'huile dans une grande poêle et dorer les oignons à feu modéré 5 à 6 minutes. Retirer les oignons de la poêle et réserver. Mettre dans un sac de plastique la farine, le paprika et le poulet, puis secouer pour enfariner le poulet. Retirer le poulet du sac et enlever le surplus de farine.

2 Mettre le reste de l'huile dans la poêle et cuire le poulet à feu modéré en remuant 2 à 3 minutes. Incorporer les oignons cuits, la purée de tomate, le vin et le bouillon de poulet. Amener à ébullition en remuant constamment. Baisser le feu, couvrir et laisser mijoter 6 à 7 minutes. Retirer du feu, incorporer le yaourt et laisser refroidir.

3 Pour la croûte, mettre dans un bol le beurre, la crème sure et l'œuf. Incorporer la farine et le persil et bien mélanger.

4 Mettre la croûte dans un plat de cuisson de 2 litres légèrement graissé et l'étendre pour couvrir le fond et les bords.

5 Ajouter la garniture, couvrir et mettre au four 35 minutes. Enlever le couvercle et laisser cuire encore 10 minutes.

Servez cette délicieuse goulasch de poulet avec une salade verte, un légume vert, comme des haricots, des courgettes, des pois mange-tout ou des asperges.

4 portions

Profitez d'une occasion spéciale pour surprendre vos invités en leur servant cette très conviviale goulasch en croûte.

TERRINE DE FOIES

4 c. à table (60 ml) de beurre
1 oignon, haché fin
1 gousse d'ail, écrasée
250 g (8 oz) de foies de poulet, hachés
1 à 2 c. à thé (5 à 10 ml) de cari
1/2 tasse (125 ml) de bouillon
de poulet
2 œufs durs, hachés
poivre noir frais moulu
poivre de cayenne
feuilles de laurier frais
tranches de citron

1 Chauffer 2 c. à table (30 ml) de beurre dans une poêle et faire revenir l'oignon, l'ail et les foies à feu modéré 5 minutes. Ajouter le cari et cuire encore 1 minute. Incorporer le bouillon de poulet et cuire 5 minutes en remuant. Retirer du feu et laisser refroidir 10 minutes.

2 Passer la préparation au robot avec les œufs jusqu'à l'obtention d'une purée lisse. Assaisonner au goût, de poivre et de cayenne.

3 Verser la préparation dans un moule à terrine et égaliser la surface. Faire fondre le reste du beurre et verser sur la terrine. Décorer de feuilles de laurier et de tranches de citron. Réfrigérer plusieurs heures. Servir avec du pain ou des biscottes.

LA VOLAILLE AU MICRO-ONDES

La volaille ne brunit pas au micro-ondes. Pour lui donner de la couleur et de la saveur, badigeonner de sauce à brunir, de sauce Worcestershire ou de sauce barbecue.

Ces quelques conseils vous aideront à réussir vos plats :

🍂 Avant la cuisson, repliez les ailes et ficelez les pattes de la volaille. Vous pouvez vous servir d'un élastique, il ne fondra pas.

🍂 Cuisez la volaille poitrine vers le bas et retournez-la à mi-cuisson.

🍂 Cuisez la volaille à découvert si vous voulez obtenir une apparence de viande grillée. Dans un plat couvert, l'humidité ne s'échappe pas et la volaille cuit à la vapeur, ce qui convient parfaitement pour les soupes et les salades.

🍂 Ajoutez 2 minutes au temps de cuisson si la volaille est farcie.

🍂 Déposez la volaille sur une grille de cuisson.

🍂 Pour les grosses volailles comme les dindes, protégez les ailes et les pilons en les enveloppant de papier d'aluminium.

🍂 Une fois la cuisson terminée, couvrez la volaille d'un papier d'aluminium et laissez-la reposer de 10 à 15 minutes.

Le poulet cuit rapidement au micro-ondes tout en conservant son jus. La chair est tendre et savoureuse.

TEMPS DE CUISSON AU MICRO-ONDES

ALIMENT	INTENSITÉ	DURÉE par 500 g (1 lb)
Poulet complet	HIGH	10 minutes
Morceaux de poulet	HIGH	10 minutes
Dinde	HIGH MEDIUM-HIGH	10 minutes, puis 10 minutes
Caille	HIGH	8 minutes
Canard	HIGH	10 minutes
Oie	MEDIUM-HIGH	12 minutes

LES INGRÉDIENTS

Qu'est-ce que la volaille?

Le terme volaille désigne l'ensemble des oiseaux élevés pour leur chair, entre autres le poulet, le poulet de Cornouailles, la dinde, le canard et la caille.

Vous pouvez trouver dans le commerce des poulets de grain ; leur chair est plus ferme, plus savoureuse et plus maigre que celle des poulets ordinaires. Chez ces derniers, une bonne partie du gras s'accumule sous la peau ; vous l'enlèverez pour une cuisson plus saine.

Le poulet de Cornouailles est une variété de poulet de grain qui ne pèse jamais beaucoup plus de 500 g.

Le canard d'élevage a une valeur nutritive semblable à celle du poulet, à ceci près : il est deux fois plus gras. Pour dégraisser le canard, faites-le rôtir su une grille dans la lèchefrite ; le gras s'égouttera pendant la cuisson. La chair du canard sauvage est beaucou plus coriace et il est préférable de le faire mijoter plutôt que de le rôtir.

La caille est un petit volatile très pri des fins gourmets. Sa chair délicate doit être arrosée régulièrement pendant la cuisson pour éviter qu'el ne sèche.

On appelle suprême de volaille un fi de poitrine désossé et sans la peau. Souvenez-vous que le suprême cuit plus rapidement que la cuisse et le pilon.

La cuisse désigne le haut de la patte, le pilon, sa partie inférieure.

COMMENT CONSERVER LA VOLAILLE CRUE?

Les mêmes règles de conservation s'appliquent pour toutes les volailles : elles doivent être débarrassées de leur emballage original, déposées dans un plat, puis couvertes, mais de manière à ce que l'air circule. Entreposez au réfrigérateur et utilisez rapidement.

Dégelez complètement la volaille avant la cuisson. Il faut compter 2 heures par 500 g pour décongeler au réfrigérateur. Au micro-ondes, comptez 10 minutes par 500 g, à «DEFROST».

Il ne faut jamais farcir à l'avance une volaille.

Gardez séparément au réfrigérateur la volaille et la farce pour éviter la formation de bactéries.

OÙ ACHETER LES HERBES ET LES ÉPICES?

Les herbes fraîches sont maintenant offertes dans la plupart des bonnes épiceries, au rayon des fruits et légumes. Vous pouvez les congeler ; leur couleur et leur apparence en souffriront mais elles garderont beaucoup de saveur.

Les herbes séchées se trouvent facilement dans le commerce, mais il vaut mieux les acheter en vrac pour plus de fraîcheur et un meilleur rapport qualité/prix.

Les épices se trouvent aussi facilement dans le commerce, et pour la même raison, il vaut mieux les acheter en vrac.

OÙ TROUVER LES INGRÉDIENTS EXOTIQUES MENTIONNÉS DANS CE LIVRE?

Vous trouverez les galettes de riz, la pâte de cari, la pâte de chili (sambal oelek), le garam masala, la poudre de cinq épices, le chutney à la mangue et les champignons chinois dans les épiceries asiatiques.

Tableaux de conversion éclair

CAPACITÉS		
1,25	ml	1/4 c. à thé
2,5	ml	1/2 c. à thé
5	ml	1 c. à thé
15	ml	1/4 c. à table
65	ml	1/4 tasse
90	ml	1/3 tasse
125	ml	1/2 tasse
190	ml	3/4 tasse
250	ml	1 tasse
500	ml	2 tasses
1	l	4 tasses

POIDS		
250	g	1/2 lb
500	g	1 lb
1	kg	2 lb
1,5	kg	3 lb

Dans ce livre, les mesures de la plupart des ingrédients sont données en termes de capacité (cuillerées, tasses) et converties en volumes métriques (millilitres, litres). Cependant, dans certains cas, les poids sont donnés en mesures métriques (kilos, grammes) et convertis en mesures impériales afin de faciliter vos achats. Nous vous suggérons de vous procurer, si ce n'est déjà fait, ces quelques ustensiles peu dispendieux et infiniment pratiques :

- un ensemble de tasses à mesurer

- un ensemble de cuillères à mesurer

- un contenant gradué d'un litre en plastique transparent pour les liquides